JN236400

植田一三・妻鳥千鶴子 [著]
Ueda Ichizo/Tsumatori Chizuko

英語で意見を論理的に述べる
技術とトレーニング

The Secret of Logical Communication in English.

発信型英語スーパースピーキング

英検1級、通訳ガイド試験、
TOEFLやGRE対策
としても有効な
スピーキング対策
決定版

ベレ出版

はじめに

　皆さん、お元気ですか？　Ichy Ueda & Chiz Tsumatori です。今回は皆さんに英語力をぐーんと UP していただくために、アーギュメントトレーニングの本を書きました。この本を勉強すれば、皆さんの英語の「発信力」はもちろん、日本語のコミュニケーション力も数段 UP するものと信じています。

　ところでアーギュメントと言えば、直訳的に日本語の「議論」を思い浮かべがちですが、英単語の "argument" には「明確な理由を述べて相手を説得する」という意味があり、それは討論、交渉、裁判などにおいて非常に重要な要素となっています。実際、世の中が国際化するにつれて、アーギュメントの重要性がどんどん高まっており、日本でも、多くの企業や学校でディベートの研修が盛んに行われるようになって来ました。このことは、明確な理由づけをして証明したり、説得したりすることの意義が日本でもやっと一般の人々に認識されて来たことの現れと言えるでしょう。

　ところが、たいていの日本人は西洋人と比べて、この "アーギュメント能力" が乏しく、物事を白黒に割り切って意見を述べたり、反論をしたり、また相手を persuade（= make 人 do something by giving good reasons for doing it）するのが非常に苦手です。話をしていても一貫性に欠け、Yes かと思えば No に変わっていたり、根拠として挙げる理由は弱く、反論（counterargument）もポイントからそれていたり、どうも議論がかみ合っていないということが多々あります。

　これは、日本語圏と英語圏の文化的背景の相違、つまり言語文化（languaculture）の違いによるもので、日本人が国際社会で通用する英語でのスピーキングを身につけるためには、そういった日本語の "languaculture" に基づく固定したものの見方（mindset）を改め、カルチャーショックや異文化の壁を乗り越えるという真剣な取り組みが必要となって来ます。

　しかしその反面、言語学者の Deborah Tannen 氏がその著書 *Argument Culture* で著わしているように、「灰色の部分（gray zone thinking）を大切にする」という考え方が、かつては白黒に割り切るのが本流であった西洋文化の

中にも芽生えつつあります。かつて、英国の詩人キップリングが East is East, and West is West, and never the twain shall meet.（東と西が決してあいまみえることはない）と言いましたが、時代は変わり、今やそういった西洋と東洋の垣根を越えた "borderless English" の時代となって来ました。

　すなわち、"transformational leadership" の西洋は、東洋的な発想を学ぶ努力をし、東洋は西洋のロジックを学ぼうと互いに歩み寄るニューパラダイムの到来です。つまり、それぞれの長所を取り入れたアプローチによって、「議論」で相手を負かすことによって自分のみが利益を得るのではなく、「アーギュメント」によって双方にプラスになる win-win situation を目指した高次元的統一が、ビジネスのみならず家族や友人との話合いにおいて功を奏す新時代の幕開けなのです。

　本書は、そういった "West and East Meet." のパラダイムシフトに備えて、日本人の苦手なアーギュメント力を根本的に鍛え、表面的な英会話では学べなかった論理的分析能力・表現力を UP させ、重要な社会問題について英語でのディスカッションやディベートがエンジョイできるように構成されています。さらに本書は、英検1級や通訳ガイド試験、TOEFL、国連英検、ケンブリッジ英検など、アーギュメント能力をテストしている資格検定試験対策にも最適であると信じています。

　なお本書の製作に当たり、編集に携わってくださったベレ出版の脇山氏、執筆の協力と校正で惜しみなく協力してくれた当校スタッフの田中秀樹氏、木南紀子氏、辻さゆり氏、松井こずえ氏、小野美絵子氏、アーギュメントの研究において助言をいただいたレトリック研究の権威でおられる、議論学国際学会会長、津田塾大学助教授の鈴木健氏、および本書執筆の母体となった参考文献の著書の方々には心から感謝の意を表したいと思います。

　それでは皆さん、明日に向かって、人間を鍛え（build character）、視野を広げる（broaden our cultural horizons）、英語の勉強（英悟）に励みましょう！

Let's enjoy the process!（陽は必ず昇る！）

植田一三
妻鳥千鶴子

CONTENTS

はじめに

第1章　なぜ、今アーギュメント［ディベート］力が重要なのか

❶なぜアーギュメント力が重要なのか …………………………………14

第2章　ワンランク UP の論理的スピーキングトレーニング

❶説得力のあるポイントを述べてから効果的な例証を！ ……………24
❷社会情勢に対する問題意識と論理的分析力が鍵！ …………………27
❸論理的スピーキング力 UP 実践トレーニング ………………………28
　トレーニング1 …………………………………………………………28
　トレーニング2 …………………………………………………………29
　トレーニング3 …………………………………………………………30
　トレーニング4 …………………………………………………………31
　トレーニング5 …………………………………………………………32
　トレーニング6 …………………………………………………………34
　トレーニング7 …………………………………………………………35
　トレーニング8 …………………………………………………………36

第3章　論理性を鍛えてアーギュメント力ワンランク UP!

❶ してはいけないアーギュメントの原則 …………………………… 40
　トレーニング1　論理的分析力を鍛える問題1 ……………………… 42
　トレーニング2　論理的分析力を鍛える問題2 ……………………… 45
　トレーニング3　論理的分析力を鍛える問題3 ……………………… 48
　トレーニング4　論理的分析力を鍛える問題4 ……………………… 50
　トレーニング5　論理的分析力を鍛える問題5 ……………………… 53
　トレーニング6　論理的分析力を鍛える問題6 ……………………… 56
　トレーニング7　論理的分析力を鍛える問題7 ……………………… 59
　トレーニング8　論理的分析力を鍛える問題8 ……………………… 62
　トレーニング9　論理的分析力を鍛える問題9 ……………………… 65
　トレーニング10　論理的分析力を鍛える問題10 …………………… 67
❷ アーギュメントでは関連性のある強い理由を述べる！ ………… 70

第4章　論理的スピーキング力ワンランク UP の表現集！

❶ 類語を使い分けて表現力ワンランク UP! ……………………… 74
　1.「思う・考える」の使い分けマスター ……………………………… 75
　2.「言う・話す・しゃべる」の使い分けマスター …………………… 78
　3.「示す」の使い分けマスター ……………………………………… 82

❷ 効果的なアーギュメントをするための表現集 ………………… 86
　1. 因果関係の接続表現をマスター …………………………………… 86
　2.「因果関係」を表す動詞表現をマスター Part 1 …………………… 89

3. 「因果関係」を表す動詞表現をマスター Part 2 ……………………91
4. 逆説表現の使い分けをマスター ………………………………………92
　● Butの6つの用法 ………………………………………………………92
　● 主要な「逆説」の表現ニュアンス使い分け ……………………………92
5. 追加の表現の使い分けをマスター ……………………………………95
　● 「追加」の表現ニュアンス使い分け……………………………………95
6. 強調の表現の使い分けをマスター ……………………………………96
　● 「事実」を表す表現のニュアンス使い分け……………………………96
　● 「〜は言うまでもなく」を表す4つの表現のニュアンスを知ろう! ………98
7. 仮定の表現の使い分けをマスター ……………………………………99
　● 「条件」の表現ニュアンス使い分け……………………………………99
8. 比較・対照に関する表現をマスター …………………………………100
9. 意見・感想の表現をマスター …………………………………………101
　● 必然性の表現 …………………………………………………………102
　● 「〜は当然だ、当然ながら」の表現ニュアンス使い分け ……………102
　● 自分について述べる表現 ……………………………………………103
　● 「私としては」の表現ニュアンス使い分け ……………………………103
　● 「この状況を考慮すれば」の表現ニュアンス使い分け ………………104
　● 場合・状況に関する表現 ……………………………………………104
　● 「場合・状況」の表現ニュアンス使い分け ……………………………104
　● 推量に関する表現 ……………………………………………………105
　● 例を挙げる表現 ………………………………………………………105
　● 「例えば」の表現ニュアンス使い分け …………………………………105
　● 正直に、率直にを述べる表現 ………………………………………106
　● 「率直に、正直に言う」の表現ニュアンス使い分け …………………106
　● 定義に関する表現 ……………………………………………………106
　● 分類に関する表現 ……………………………………………………106
　● 一般論・一般認識に関する表現 ……………………………………107
　● つなぎの表現「譲歩」 …………………………………………………107
　● 記憶・回想に関する表現 ……………………………………………108
　● 言い換え表現 …………………………………………………………108

- 「言い換え」の表現ニュアンス使い分け ……………………108
- 要約の表現 ……………………………………………………108
- 「概して言えば」の表現ニュアンス使い分け ………………109
- 時に関する表現 ………………………………………………110
- 時を表す「今日では」の表現ニュアンス使い分け …………110
- その他の表現 …………………………………………………111

第5章 ワンランク UP アーギュメント実践トレーニング

❶ビジネスのトピックの Argument 実践トレーニング …………114
ビジネス・経済関係のトピックに強くなる！ ……………………114
- 定年退職制は廃止すべきか？ …………………………………114
「定年制」について何でも話せる語彙・表現力 UP トレーニング …………122

❷サイエンス＆テクノロジーのトピックの Argument 実践トレーニング ……………………………………………124
サイエンス＆テクノロジー関連のトピックに強くなる！（Part1）………124
- 宇宙開発を推進すべきかどうか？ ……………………………124
「宇宙開発」について何でも話せる語彙・表現力 UP トレーニング …131
サイエンス＆テクノロジー関連のトピックに強くなる！（Part2）………133
- インターネットへのアクセスを法律で規制すべきか？ ……133
「インターネット」について何でも話せる語彙・表現力 UP トレーニング …………………………………………………140

❸教育のトピックの Argument 実践トレーニング …………141
教育のトピックに強くなる！ ……………………………………141
- 制服を着用すべきかどうか？ …………………………………141
「制服」について何でも話せる語彙・表現力 UP トレーニング ………149

❹ ジェンダー問題のトピックの Argument 実践トレーニング……150
ジェンダーのトピックに強くなる！……150
女性は結婚すれば姓を変えるべきか？……150
「夫婦別姓」について何でも話せる語彙・表現力 UP トレーニング …159

❺ 医学のトピックの Argument 実践トレーニング……160
医学関係のトピックに強くなる！（Part1）……160
● 日本で臓器移植はもっと行われるべきか？……160
「臓器移植」について何でも話せる語彙・表現力 UP トレーニング …168
医学関連のトピックに強くなる！（Part2）……169
● 妊娠中絶は廃止されるべきか……169
「妊娠中絶」について何でも話せる語彙・表現力 UP トレーニング …176

❻ エコロジーのトピックの Argument 実践トレーニング……177
環境問題のトピックに強くなる！（Part1）……177
● 絶滅の危機に瀕した動物を救うべきか？……177
「エコロジー（絶滅危惧種）」について何でも話せる語彙・表現力 UP
トレーニング……185
環境問題のトピックに強くなる！（Part2）……186
● エコツーリズムは是か非か……186
「エコツーリズム」について何でも話せる語彙・表現力 UP
トレーニング……192

❼ メディアのトピックの Argument 実践トレーニング……193
メディアのトピックに強くなる！（Part1）……193
● 青少年犯罪者の実名と写真を公開すべきか？……193
「青少年犯罪」について何でも話せる語彙・表現力 UPトレーニング …199
メディアのトピックに強くなる！（Part2）……201
● たばこの広告は禁止されるべきか……201
「たばこの広告禁止」について何でも話せる語彙・表現力 UP
トレーニング……208

政治・法律のトピックに強くなる！（Part1） ……………………209
● 死刑は廃止すべきか？ …………………………………………209
「死刑」について何でも話せる語彙・表現力 UP トレーニング ……216
政治・法律のトピックに強くなる！（Part2） ……………………218
● どの国も銃の所有を禁止すべきか？ …………………………218
「銃」について何でも話せる語彙・表現力 UP トレーニング ………224
政治・法律のトピックに強くなる！（Part3） ……………………226
差別撤廃措置の是非 ………………………………………………226
「差別撤廃措置」について何でも話せる語彙・表現力 UP
　トレーニング ……………………………………………………232
政治・法律のトピックに強くなる！（Part4） ……………………234
● 日本は国連安全保障理事会の常任理事国になろうとするべきか …234
「国連安全保障理事会」について何でも話せる語彙・表現力 UP
　トレーニング ……………………………………………………241

第6章　アーギュメントに強くなるための キーアイディア集

❶ 教育（Education） …………………………………………………244
❷ テクノロジー（Science and Technology） ……………………253
❸ 健康・医学（medicine） ……………………………………………258
❹ ビジネス・経済（Economy and Business） ……………………262
❺ エコロジー（Environment） ………………………………………265
❻ メディア（Mass Media） …………………………………………269
❼ 結婚・家庭生活・人生哲学・他（Marriage, Family Life,
　Philosophy of Life, etc.） …………………………………………273
❽ 政治問題・国際問題（Political Issues & International
　Relations） …………………………………………………………277
❾ 高齢化社会関連（Aging Society） ………………………………280

⓾文化・スポーツ（Culture&Sports） ……………………………281
⓫その他（Others） ……………………………………………282

第7章　ディスカッションの社会問題トピックを分析！

❶社会問題トピックを 11 のカテゴリーに分類 ……………………284

参考文献

第1章

なぜ、今 アーギュメント[ディベート]力が重要なのか

1 なぜアーギュメント力が重要なのか

　英語を話すと言っても、一対一の会話もあれば大衆の前でするパブリックスピーキングもあります。また対話には、大きく分けて **"chat"**、**"discussion"**、**"debate"** の3種類があります。最近になって特に重要性を帯びてきたのが最後の **"debate"** 能力で、そこでは **"argument**（理由を挙げて自分の意見を論理的に主張する）**"** 能力が重要となってきます。

　chat は、ずばり気軽に友達と交わす「おしゃべり」。最近インターネット用語でもおなじみで日本語化してきた感があります。話題が次々と変わり、深く1つのことについて掘り下げる必要もないし、相手が聞いたことに返事をしなかったり、全然理由になっていない弁解をしたりと、何でもありで気軽に話すことです。

　discussion はもう少し真剣で、意見交換や、何かの結論を得ようとして「話し合う」ことですが、取り立てて結論が出なくても、また何かを決めることができなくても大した問題ではありません。ちょうど **chat** と次に説明する **debate** の間に位置しているのが、この **discussion** なのです。**debate** との違いは、何らかのトピックについて必ずしも「肯定側」と「否定側」に分かれて意見を戦わせるというわけではなく、相手に同意したり反対したりして説得しようとはしているものの、あくまでも自分の主張のみを証明しようとする勢いが弱いものです。また、話し合う話題も、「日本はサマータイム制を導入すべきか」のように社会論争となっている1つの問題を掘り下げて、それにぴったりと関連する（**specific and focused**）ことのみを話し合う debate と違って、discussion では話し合うトピックは決まっていても、そのトピックから発展して幅広い問題を扱っていきます。

　debate は chat や discussion とは違い、世の中の論争となっているような社会問題を、完全に「肯定側」と「否定側」の2つに分かれて、徹底的に分析し、意見を戦わせます。決して反対側に同意することなく自分の意見を証明し、相手の意見には限られた時間内に反対尋問か反論をし、最後にジャッジの判定を受けます。とまあ一見、スポーツの試合のように思えますが、ディベー

トには次のように数多くのメリットがあります。

> 1. 論理的に物事を考える能力・分析力（critical analysis / reasoning ability）が養われる。
> 2. 社会問題に関する深い知識と洞察が身につく。
> 3. 英文速読速解力が鍛えられる。
> 4. 自分の意見を効果的に人に伝える能力、つまり説得力（persuasiveness / eloquence）が養われる。
> 5. 人の話を素早く正確にキャッチするリスニング力が養われる。
> 6. 対立する立場に立って物事を捉える（put issues into perspective debate help）ことができる。

　"Toulmin's Model" によれば、ディベートにおける推論は次の3つの要素から成り立ちます。A **"Claim"** should be supported by 1) **"Warrant"**, or theoretical justification or rationalization on which the argument is built, and 2) **"Data"**, or evidence by which the argument is proven. Therefore, debates helps develop abilities to think and analyze logically, and organize our arguments into a structured framework.
　（"主張" をサポートするものは、1) アーギュメントの基になっている "根拠" または理論上正当な言い分　2) アーギュメントを証明する "データ" または証拠の2点。ゆえにディベートをすれば、論理的に考え分析する能力が養われ、理路整然とした意見を構築できるようになる。）

　つまり、**data**（データ［事実・統計・専門家の意見］）と **warrant**（ワラント［正当な理由・根拠］）によって **claim**（クレーム［主張］）するので、上の6つが養われるのです。まず、論理分析（logical analysis）を主張するために膨大なデータを調べなければいけないので、速読速解力が鍛えられ、また社会問題に関する知識と洞察が深まるので、英文献を速く深く読むことができるようになるわけです。そして、勝つために claim を無駄なく、素早く述べ、相手を説得しなければならないので、英語による発信力［コミュニケーション力］がぐーんと UP していきます。またディベートでは、相手が主張する間、言

1　なぜ、今アーギュメント［ディベート］力が重要なのか

葉をはさまず聞いて反対尋問したり反論したりしなければならないので、リスニング力が数段 UP します。

さらにディベートでは、意見を戦わせると同時に釈迦の「八正道」(**Noble Eightfold Path**) に通じる精神、つまり、自分の意見に執着することなく、自分と反対側の意見を考慮に入れ、相手の立場に立って物事を捉えることができる境地に達することができます。というのはディベーターはどんなトピックでも、常に肯定側と否定側の両方の見地を掘り下げておかねばならず、その意味で私情にとらわれることなく常にクールに大局 (broad perspective) を観ておく必要があるからです。ディベートの目的は「真理の追求」であり、その意味で勝負の「結果」よりも真理を追究する「プロセス」を重視した「悟りの境地」への道といえます。

さて、ディベートの意義がわかっていただけたところで、今度はその原点である **"argument"** と日本語の「議論」の違いを考えてみましょう。**argue** は、よく「議論する」と訳されますが、実際に英英辞典で「意見を述べる」という観点からの定義を見てみましょう。

---

1. To disagree with someone in words, often in an angry way
   （反対意見を述べること、怒った口調であることも多い）
2. To discuss something with other people, giving your different opinions.
   （異なる意見を出し，何かについて他の人々と話し合うこと）
3. To state that something is true or should be done and **give the clear reasons** why you think so. （何かが真実である、あるいはなされるべきであると述べ、そう考える明確な理由を挙げること）
4. To support your opinions with evidence in **an ordered or logical way.**
   （理路整然と証拠を示しながら、意見の正当性を証明すること）

これに対して日本語の「議論」は「互いに自分の意見を論じ合ったり、戦わせたりすること」とあります。これは **"argue"** の 1 に似ています。日本語では説明されていない **"argument"** の大切な点は、「自分の主張に明確な理由を

挙げて、その妥当性を証明する」という点です。

　日常生活では、人々は直感的に好き嫌いで判断して意見を述べたり、何も疑うことなく「社会通念」に従って他人を説得しようとしがちです。また勝手な解釈、感情的・主観的な評価をし、自分の考えを証明しようという義務感もなく、納得のいく説明もせず結論を述べるなど、本当に気ままに意見を述べがちです。この傾向は特に日本社会において強いようです。

　米国を含む西洋諸国はよく "argument culture" と呼ばれ、法廷論争、presidential debate（大統領候補討論会）、ビジネスでの交渉、学会発表や oral defense（口頭試問）などに見られるように、argument が世の常（the norm, the order of the day）となっています。実際、日常会話でも English Journal の "Talking Match" に見られるように、賛成か反対か "dichotomize"（二分して）argue するといったケースが多く見られます。しかし相対的に日本人はそういった argument は「和の精神」に反するとして避けたがる（unconfrontational）か、あるいは議論において、倫理観や主観に基づいた善悪の判断はしますが、「なぜ」という理由付けをしない傾向があります。

　これは日本人の子供のしつけ方や教育の仕方にも大きな原因があります。米国では "individualism" に基づき、親は子供にはっきりと自分の意見を持ち（have a mind of one's own）、きちんとした理由を述べる（make a case）ように教育します。ケネディ元大統領の家庭では家族の団欒のときにディスカッションをして、子供にその訓練をしたと言われています。学校でのクラスルームディスカッションでも、自分の意見を論理的に述べる練習をします。ところが日本では、「親や教師の言うことは聞くものだ」と頭ごなしに言われたり、授業でディスカッションすることもほとんどなく、また社会でも反論すると失礼になると思って躊躇するなど、"argument" の土壌ができていません。

　その結果、日本人は理由を挙げずに、直感的に意見を言うだけというスタイルでコミュニケーションするのが当たり前になっています。相対的に英語のネイティブスピーカーは、何かのポイントを述べた後で理由を聞かれなくても、" ,because ～" と理由を述べる場合が多いですが、日本人は「それはどうしてですか？」と聞かれてから理由を述べるケースが圧倒的に多いようです。ゆえにネイティブは何らかの質問に対する答えが長くなりがちですが、日本人はぽつんと一言述べるか 10 秒ぐらいで終わってしまうことが多々あります。

英語圏の人たちは、ほとんどの場合、相手に対して「自分の意見の方が強いことを示そう」とします。彼らのコミュニケーションは、**客観的な証拠に基づいて議論**をし、**自分の意見の優位性を相手に理解させようとしている**のが基本的な形なのです。ところが日本人の場合は、どうも「**感情中心**」「**倫理中心**」に話を進め、客観的な証拠に基づいて話すということが苦手です。これが国際コミュニケーションにおいて相互理解を進めていく上で日本人にとっての障害となっています。また日本人の英語での発信力を弱めているのも、英語表現力というよりは、この「論理的分析 & 説得力」が苦手であることが大きな要因となっています。

　ところで、こういった説得方法の文化的相違をより深く認識し、コミュニケーションにおいて次の3つを相手に説得するために、効果的に話す主な方法を簡単に説明しておきます。

---

① **ethos**（イーソス）－credibility　社会の通念や常識、道徳観、話者の
　　　　　　　　　　　　　　　　　人間性やステータスなど信用の源となるもの
② **pathos**（パトス）－appeal to emotions　情、特に哀れみ
③ **logos**（ロゴス）－appeal to reason　正当な理由、論理性

---

　ethos とは credibility のことで、クリントン元大統領が大統領選のキャンペーンスピーチで、自分が中流家庭の出身であることを強調して ethos に訴えようとしていました。また、「ノーベル賞受賞者の○×が言っているが……」とか、「これは欧米では世の常になっていますが……」と言い説得力を増したり、家柄、学歴などを引き合いに出すのも ethos です。

　pathos は、ブッシュ大統領がキャンペーンスピーチで目に涙をためて訴えようとしていたように、人間は「感情の動物」なので、この効果は絶大です。

　logos は今までに何度も述べてきた論理性のことで、この justification なければ説得力に欠けることはいうまでもありません。しかし、これだけでは頭で分かっても人の「心や行動」を変えることはできません。そこで人を説得する場合は、これら3つをすべて使うのです。

　英語の文化は③にかなりの重点を置くのに対し、日本の文化は①や②をより重視したため、③があまり発達しなかったわけですが、国際社会では日本の常

識（ethos）は通用しないので、まず logos を鍛え "argument" 力を高めないと、説得力が弱く色々な状況を生き抜いていけません。

　さらに、米国やカナダ等の大学に留学するために受ける TOEFL の試験内容が 2005 年から大幅に変わり、「受信型」である文法や読解問題がぐーんと減り、「発信型」であるスピーキングやライティングの問題が大幅に増える予定です。それは留学生がレポートや論文を書いたり、プレゼンをしたりクラスルームディスカッションをする「発信力」（会話や chatting の能力ではなく、論理的に意見を述べる能力）において余りにも問題があることの反省によるものと言われています。他にも米国の大学院に入学するための試験である GRE に、次のようなタイプの、何らかの argument に対して問題点を指摘するタイプとライティング問題が加わり、そこでも論理的に意見を述べる「発信力」がいかに重要かがよくわかります。

Present your perspective on the issue below, using relevant reasons and / or examples to support your views.
（以下のトピックについて理由や例を挙げて自分の考えを述べなさい）

1. There are two types of laws: just and unjust. Every individual in a society has a responsibility to obey just laws and, even more importantly, to disobey and resist unjust laws.
（法律の妥当性を論議する―悪い法律は守る必要がないのか!?）

2. Public figures such as actors, politicians, and athletes should expect people to be interested in their private lives. When they seek a public role, they should expect that they will lose at least some of their privacy.
（プライバシーの権利を論議する―有名人もプライバシーを持てるのか!?）

3. The primary goal of technological advancement should be to increase people's efficiency so that everyone has more leisure time.
（技術の進歩の目的を論議する―テクノロジーは効率を高め余暇を増すた

めに進歩すべきか!?)

4. Because learning is not a solitary activity but one that requires collaboration among people, students of all ages will benefit academically if they work frequently in groups.
(共同研究の意義を論議する―1人より共同で研究する方が利が多いか!?)

5. To truly understand your own culture-no matter how you define it-requires personal knowledge of at least one other culture, one that is distinctly different from your own.
(異文化洞察の意義を論議する―自国の文化を知るには異文化を知らねばならないのか!?)

　オラルコミュニケーションの観点では、英検1級・通訳ガイド試験・国連英検の2次試験や、ケンブリッジ英検のスピーキングテストなどで、社会的なトピックについてどれくらい自分の意見を述べ、相手の質問や反論をさばけるかが重視され、その能力がテストされます。特に英検1級の2次試験では、論理的に英語で意見を述べる能力を重視しており、与えられた社会問題のトピックについて英語でのプレゼンと、その後の試験官の質問に対して答える口頭試問によって、効果的にそういった能力があるかどうかをテストしています。

　皆さん、このように英語で論理明快にプレゼンをしたり、社会問題を論理的に話し合ったりディベートしたりする重要性はどんどんと高まっています。家族間で子供に対して親が、「とにかく親の言うことをきいておけば、間違いないんだ！」と頭ごなしに説教するのも最近は通用しなくなってきています。そして、ますます国際化する社会では、法廷ではもちろん、ビジネス・政治・教育・学問の場においても、なぜそういうことを言うのか、なぜそれが必要であるかの理由を明確にできればよりよい成果を上げることができます。
　それがただのおしゃべりよりワンランク上であるのは、様々な社会情勢や事象に関する知識とそれらを英語で述べる表現力、そして自分の意見を筋道立て

て述べる「論理的分析力」がいるからです。こういった社会的トピックについて論理明快に意見を言うようになれるには、英会話クラスに週1〜2回行ったり、友達と勉強会でネイティブを招いて会話の練習をしているだけでは不十分です。そこで皆さんには、この本を通じて論理性を鍛えながらきっちりと「アーギュメントの構築方法」を学んでいただき、説得力のある話し方やディベートができるようになっていただきましょう。

Let' enjoy the process!（陽は必ず昇る！）

第2章

ワンランク UP の論理的スピーキングトレーニング

1 説得力のあるポイントを述べてから効果的な例証を!

　英語で個人的な情報に関するおしゃべり（chatting）の段階を超えたら、次の段階は、社会問題や一般的な事象に関して、役立つ情報や掘り下げた考え方を理路整然と（organized and coherent）やり取りするQ&Aや、ディスカッションができるというレベルです。そのQ&Aとは、「自閉症って何？」、「日本人はどうして騒音に対して寛大なの？」など、相手の質問に対して答えることで話が進むものです。英検や通訳ガイド試験などの2次面接試験はその代表例で、海外からの訪問客を英語で案内したり、海外へ行った時に日本の文化や社会情勢について聞かれ答えたりするのが、"chatting"より一段階進んだQ&A形式の会話なのです。それがただのおしゃべりよりワンランク上であるのは、前述したように様々な社会情勢や事象に関する知識とそれらを英語で述べる「表現力」、そして自分の意見を筋道立てて述べる「論理的分析力」がいるからです。

　また質問に答える時は、準1級面接試験では10秒ぐらい、通訳ガイド試験では20秒ぐらい、英検1級では30秒ぐらい、1分間に140~160語の、流暢で論理明快な英語を話せるのが高得点合格者の条件になっています。

　概して、欧米人は質問に対して答えが長くなりがちで、interruptでもしない限り、早口でまとまり悪く、1分以上も話す人が多いようですが、それに対して日本人は、日本語でさえも短くぽつんと一言述べて終わりという人が非常に多いと言えます。例えば「日本ではなぜ学歴が重要なのですか？」という質問に対して、「企業が（採用の時に）重視するから（3秒）」と言うだけで何のサポート・例証もないといった日本人は多く、そういったコミュニケーション形態が習慣になっている日本人が、流暢な英語を30秒間話せるはずがありません。

　そこで、世界的視野に立った"borderless communication"の見地から、「優れた英語のスピーキング力」とは、会話を独占しがちな欧米人のように長すぎることもなく、言葉足らずな日本人のように短すぎることもなく、**140~160語ぐらいのスピードで最低20秒間、長くても40秒間ぐらい、無駄**

のない英語で理路整然と話す能力と定義することができます。この章では皆さんにそういった能力を身につけるためのトレーニングを受けていただきましょう。

　わかりやすくて説得力のあるスピーキングやライティングをするための基本原則はすこぶる簡単で、まずポイント（key idea）を述べてから、その後すぐその具体例を挙げ説明するサポート部（**supporting details [illustrations]**（例証））を述べることです。しかしながらこの簡単で基本的な事ができない日本人が多いのです。つまりサポートでなく「新情報」を述べたり、ポイントではなくサポートから述べたりして、何を言っているのかわかりにくくなってしまう場合が非常に多く見られます。

　また理由（ポイント）が2つある場合は、**"signposting"** と言って、First（第1に）、Second（第2に）というふうに整理して話す必要があります。これが理路整然と論理明快に話したり書いたりするための鉄則であることを頭に叩き込んでください。このことは、フォーマルなディベートやアカデミックディスカッションのみならず、英検1級2次試験のような短いプレゼンテーションや TOEFL や GRE のような短いエッセイライティングにおいても重要です。

　そして質問に対してはダイレクトに答え、specific（ある点に対して具体的）な質問には、specific に答え、ポイントとその説明で合計30秒ぐらいを150wpm ぐらいの速さで話せば、聞き手にわかりやすい模範的な答え方になります。最悪なのは、ポイントを述べずに1分以上もだらだらと、その「周辺の状況説明」をすることで、そうなると「ポイントだけを言ってほしい」とか、「私の質問に答えていない」というそしりを免れません。相手の質問に対して、的確にダイレクトに答えることが大切なのです。ちなみに、こういったスピーキング能力をテストする英検1級の2次試験に合格するタイプと、しないタイプを比較してみると、次のようになります。

不合格者の特徴	合格者の特徴
1. 試験官の specific な質問に対して、フォーカスした答えではなく、その周辺を述べる。	1. 試験官の specific な質問に対して、フォーカスした答えを述べ、それ以外の聞かれていないことは述べない。
2. 弱い（untenable）アーギュメントをするので、試験官の counterargument や cross-examination にたじたじとなってうまく返答できない。	2. 強いアーギュメントをする（make a tenable argument）ので、試験官の counterargument や cross-examination も楽にさばける。
3. スピーチのトピックにぴったり合った内容ではなく、その周辺の関連した内容のスピーチをする。	3. トピックにぴったり合った内容のスピーチをし、それ以外のことは言わない。
4. スピーチのポイント（メインアイディア）をうまくサポートせずに別の話をする。	4. スピーチのポイント（メインアイディア）を例証・類推・統計などでうまくサポートし、説得力がある。
5. 世界や日本情勢の知識が乏しくて、スピーチや返答できるトピックがほとんどない。	5. 世界情勢の知識が豊富なので、どのトピックに関してでもスピーチや返答ができる。
6. スピーチは 100～150 語ぐらいしか話しておらず、しかも内容が乏しい。	6. スピーチは 200 語以上話しており、しかも内容が豊富である。
7. 流暢に話しているが、まとまりが悪い（rambling）。	7. ほどほどのスピード（120-150wpm）で話し、よくまとまっている（organized）。
8. 一見、流暢に話しているようだが、文法・語法が正確ではない。	8. 落ち着いて文法・語法が正確な英語を話す。
9. あがってしまって何を話したかよく覚えていない。	9. あがらず試験官との対話をエンジョイでき、試験後そのやりとりを思い出すことができる。

2 社会情勢に対する問題意識と論理的分析力が鍵！

　こういった Q&A やアーギュメントの展開に欠かせないのが、社会情勢に関する問題意識や "logical analysis（論理的分析）" の能力です。自分の意見を英語ですぐに述べられるようになるには、日頃からタイムや英字新聞、CNN ニュースなどで情報のアンテナを広く張り巡らし、かつ情報を入手した後は必ずそれを分析し、コメントを述べる練習をしておくことです。

　また、"assertiveness" も重要です。日本人と日本人以外の人達が集まって会話すると、日本人は自分の意見を述べることをせず、聞き手に回ってしまいがちです。概してアジア系は "unassertive" ですが、その中でも特に日本人はおとなしいのに対して、ヨーロッパ系ノンネイティブはよくしゃべり、"I listen to TV."（本人はテレビを見ると言っているつもり）などと平気でミスしながらも、とにかく自分の意見を主張します。このように親しい友達同士だけでなく、パブリックでも英語を発信するためには、自信を持ってはっきりと自分の意見を言える "assertiveness" が必要なのです。

　しかしそれ以上に大切なのは、自分の意見を筋道立てて述べることができる論理的分析力＆表現力です。かつて 12 才のフランス人の男の子が、あるインタビューアーの質問に対して、「日本語を近いうちに学びたいと思っています。というのは、日本は教育水準が高く、アジアの中では群を抜いた経済力を持つ国なので、もっと日本のことを知りたいからです。」と述べたのを聞いたことがありますが、その時、私ははっとしました。自分の周りで同じ年頃の子供が果たしてこのレベルで話せるのかと。彼は日本語を勉強したい「理由」を説明して自分の意見を述べていますが、日本人には大人でさえ理由を述べることができない人が非常に多いのです。

　さて皆さん。それでは今度は実際にその練習をしていくことにしましょう。皆さんは、自分がその質問をされたら、どう答えるかということを必ず自分で考えてから、解答部分を読んでいくようにしてください。解答については、書いてみてもいいですし、自分の声を実際に MD やテープに吹き込んでみてもいいでしょう。できればタイマーで 40 秒設定して、その間にどれくらいの情報を盛り込んで答えることができるかを、確認しながら吹き込めばベターです。

3　論理的スピーキング力 UP 実践トレーニング

トレーニング 1

Q1 What do you think about female employees serving tea or coffee in Japanese companies ?

（日本の会社では女性の従業員がお茶やコーヒーを出しますが、どう思いますか）

A1 女性だけがしなくてはいけないというのが不公平。自分のコーヒーやお茶は、男性が自分で入れるべきです。	**A1** I don't think it's fair that only women have to do it. I think men should get their own coffee and tea themselves.

一言アドバイス

　いかがですか。論理的におかしいところはありますか？　そうですね。まず "men should also 〜" と "also" が要ります。それから "serve" が対応していないので、"men should also do it" にします。でないと女性の場合は serve（人のお茶を入れる）しないといけないのに、男性は自分のだけを入れるだけでいいとなってしまいます。あるいは第 1 文の "only" を取って、"I don't think it's fair for women to do it." とし、「女性だけが」ではなく、「女性が」に変える方法もあります。

　いかがですか。この問題がわからなかった人は、「論理性」が弱いと言えます。ぜひこの本を通じて、徹底的に論理性を鍛えていただきたいと思っています。それでは次の問題です。

トレーニング２

Q2 Why do you think it is becoming more common for people to change their jobs?

（転職はなぜ以前より当たり前になってきていると思いますか）

A2 今や先行き明るい会社なんて多くないから。みんな、いつだって安定した会社やいい条件を求めています。

A2 Because not so many companies have a bright future these days. I think people always look for stable companies and good working conditions.

一言アドバイス

これはいかがですか？ 「会社の見通しが暗いから」という"indirect cause"を最初に述べるのは感心しません。また、高まる傾向に対して always（常にそうである）とするとかみ合いません。そこで、「常にいい労働条件を求める」というサポートは「いい条件を求めて転職する人が増えてきた」とすべきですが、いずれにしても理由としては弱いので、次のようにすればぐーんとよくなって「達人レベル」になるでしょう。

The reasons are twofold. One is the growing shift from the lifetime employment and seniority system to the performance-based pay system under the prolonged recession in Japan. Under the merit system workers have no qualms about changing their jobs for better working conditions. The other is declining loyalty to companies especially among today's young workers who put their personal life before their work under the influence of Western liberalism and individualism. Unlike the dedicated and conformist earlier generation, those self-seeking individuals don't hesitate to quit their jobs for freewheeling lifestyles. （90 語― 35 秒）

大意 理由は 2 つ。1 つは終身雇用・年功序列制度から能力給制度への移行。実力主義社会では労働者はためらうことなくよい条件の仕事へ移る。もう 1 つは会社への忠誠心が希薄になったこと。西洋型の自由主義・個人主義の影響で、特に若い労働者は自分の生活至上主義になった。

トレーニング3

Q3 Why are the Japanese always so quick to pour sake into others' cups?

（なぜ日本人は人にすぐ酒をつぐのですか。）

A3 日本では、一緒に酒を飲んでいる相手のコップが空いていたら満たしてあげるのが礼儀です。飲食を共にするのは、仲間意識を確認する儀式のようなもので、相手と親しくなろうという狙いもあります。

A3 In Japan it is always polite to refill the empty cup or glass of others, when drinking sake together. Drinking and eating together is a kind of formality of ensuring that one is a member of the communal society. In Japan drinking sake together is based on a desire to become acquainted with others.

一言アドバイス

　これはいかがですか。第1文はいいですが、第2文はどうでしょう。「なぜつぐのか？」の質問の答えになっていますか。これだと「なぜ一緒に酒を飲むのか？」の理由になってしまいますので、"Pouring sake into each other's cups is considered to help build companionship which is necessary for the harmony-oriented Japanese society."「酒を注ぎ合うことは、調和を重んじる日本社会で重要な仲間意識を生み出すのに役立つから。」とすればよくなります。

ポイント　スピーキング力UPのための一言アドバイス

　What do you think ～と自分の意見を求められて、「とにかく～だ」「私がこう思ってるからこうなんだ！」では、批判的（judgmental）、独善的（self-righteous, opinionated, pontificate）というそしりを免れません。そこにはロゴスがないので説得力もないし、聞いている方にすれば一方的に意見を押し付けられているだけで不快なので、きちんとした理由を述べてそれを証明し説得しましょう。

トレーニング4

Q4 Why are Japanese parents so soft on their children?
（なぜ日本の親って子供に甘いのですか？）

A4 民主主義の考え方が浸透し、誰もが平等という考え方が強まり、親の権威はなくなりました。親は子供をかわいがりすぎ、愛情と甘やかすことを混同している場合もあります。

A4 With the spread of the concept of democracy, everyone has become equal and parents' authority has been lost. Parents sometimes bring up the children with much care and can't draw a line between loving a child and spoiling a child.

一言アドバイス

　これはいかがですか。because もなくキーアイデアのサポートもなくわかりにくい（sketchy）ので、次のように "signposting" して、ポイントをサポートしていくと論理明快になります。こういった話し方が悪い見本で、次のように話せば「達人レベル」です。

　There are two reasons for the lack of parental discipline after World War II. One reason is <u>the loss of parents' authority after World WarII</u>. <u>The once-valued Confucian traditions</u> have crumbled under the profound influence of Western liberalism and democracy. This has seriously undermined parents' disciplinary power over their children. The other reason is <u>Japanese parents' strong affection for their children that causes their indulgence toward their children</u>. They can't draw a line between loving and spoiling a child, and therefore they tend to be very soft on their children. （87 語— 35 秒）

大意　戦後親が甘くなった理由は2つ。①親の権威が失墜。西洋文化の影響でかつて重んじられた儒教の教えは崩れ去った。②<u>子供への強い愛情が甘やかすことにつながっている</u>。

> **ポイント** スピーキング力 UP のための一言アドバイス
>
> 　茶道、いけばな、俳句、AIDS、遺伝子組み換え食品など日本文化や世界の出来事などを英語で説明するときは、まずは 10 語ぐらいの英語で、大体どんなものかを説明します。例えば「BMW とは何か？」と聞かれた場合、まず "It's a very expensive but popular German-made car with a powerful engine 〜" のようにポイントを述べてから詳細説明に入っていきます。そうすれば聞き手にもわかりやすい、よくまとまった（organized）英語の説明ができます。

トレーニング 5

Q5 Why are alcoholic beverages sold in vending machines in Japan?
（日本ではなぜ自動販売機でお酒が売られているのですか？）

A5 一般の人に不便をかけないよう、自動販売機で売られているそうです。酒やポルノ雑誌が簡単に手に入る状態にしておいて、未成年に買ってはだめだと言うのは、間違っていると私は思います。

A5 I heard that the reason is that businesses want to cater to the general public's need and convenience. Personally, I think it is totally wrong to tell minors that they cannot buy alcoholic drinks and obscene magazines when they are readily available.

一言アドバイス

　これは非常に問題があります。質問は酒が売られる「理由」を聞いているのに、第 2 文はその理由ではなくその状況の価値判断（value judgment）をしています。第 1 文で述べたポイントのサポートもなく、また「大衆のニーズを満たすため」という理由も弱く、しかも理由が 1 つしかないという、マイナス点がつきそうな英語です。そこで、"signposting" してサポートをつけ、次のように言えばぐーんとよくなり「達人」レベルになるでしょう。

　I think that there are two reasons for the situation. One reason is liquor stores' profit motives. Unlike in vandalism-prone America, vending

machines go a long way toward increasing the sales of those commodities in Japan. Therefore, all liquor shops try to increase their sales through vending machines, especially during the night. The other reason is the Japanese government's loose regulations against teenage drinking. The government is not ready to tighten its control over minors' drinking to the extent of inconveniencing the general public or affecting liquor sales.
（89 語— 36 秒）

大意 1つは酒屋の利益向上目的。公共物破壊が日常茶飯事のアメリカと違い、日本では自動販売機は商品売り上げ向上に役に立つ。もう1つには政府が未成年飲酒に甘いこと。一般の利便性や酒類販売に影響を与えてまで、取り締りを厳しくする意向はない。

ポイント スピーキング力 UP のための一言アドバイス

　informative（情報豊かで）で enlightening（為になる）会話を楽しむためには、普段当たり前だと思って見過ごしがちな事柄を始めとして、いろいろな出来事に対して子供のように好奇心を持ち、新鮮な目で、「なぜなのだろう、どうしてこうなったのだろう？」と物事を見ていくことが必要です。そしてこれこそが英語でのスピーキング UP に大いにつながるのです。それでは次の問題にチャレンジ！

トレーニング 6

Q6 Why don't many Japanese look other people in the eye when speaking?
（多くの日本人は話をするとき、人の目を見ないのはなぜ？）

A6 一般的に相手の目より、胸元ぐらいを見て話す方が礼儀正しいとされています。ですが、最近では明確に自分の意思を伝えるために、相手の目を見て話す事は大切だと教える親や教師が増えており、この傾向は変わりつつあります。

A6 Generally speaking, fixing your eyes on the other's chest is considered to be polite rather than fixing on the other's eyes. However, as an increasing number of parents and teachers place emphasis on eye contact when communicating, this tendency is changing.

一言アドバイス

これも問題点が多く、"because" もなく、第2文は理由を聞いている質問に答えず、キーアイデアのサポートもせずに、最近はその状況は変わって来たと言っています。そこで由来など述べてサポートしながら、次のように言えば、「達人」レベルの英語になるでしょう。

Because many Japanese people still think it is polite to fix their eyes on the chest of the other. As indicated by the Japanese expression referring to a person who is older or of a higher rank than oneself, "*meue no hito*", which literally means "a person who is above one's eyes". In this social hierarchy, Japanese people are culturally conditioned to avoid making eye contact and place others in a superior position when speaking in order to maintain a harmonious relationship.
（80 語 — 32 秒）

大意 未だに多くの日本人が、胸元を見るのが礼儀だと思っている。「目上の人」という言葉があるように、日本人は人を立てて和を保つため、目を合わせないようにして話すという文化を持っている。

トレーニング 7

Q7 Why do the Japanese fall asleep on trains?
（なぜ日本人は電車で眠るのですか？）

A7 まずは日本の電車が安全だということです。眠っていてもスリの標的にされることはまずあり得ません。また、多くの日本人、特にオフィスワーカーは平均睡眠時間7時間以下で、疲れているので、睡眠不足を少しでも解消するいいチャンスなのです。

A7 Firstly, being on trains in Japan is very safe. You'll hardly be a fair game for theft even when sleeping on trains. Secondly, since Japanese people, especially office workers don't get enough sleep, averaging less than seven hours, sleeping on trains is a good chance to catch up on.

一言アドバイス

　これはすばらしい。signposting もしているし、"a fair game" というイディオムを使って表現力も豊かだし、"averaging" と言う「分詞構文」を使って英語を引き締めている、まさに模範解答と言えます。ただ、出だしを "I think there are two reasons for the habit." などで始めて欲しいものです。

　さて皆さんいかがですか。だんだんとコツはわかってきましたか。それではアーギュメントトレーニング Q&A 最後の問題です。頑張って参りましょう。

トレーニング8

Q8 Why do even adults read comic books on trains in Japan?
（なぜ日本では大人まで電車で漫画を読むのですか？）

A8 まず日本の漫画は、質が高いことを知っていただきたいです。複雑なストーリーになっていたり、歴史や経済が学べるものもあり、大人が十分楽しめる内容になっているのです。第2に、電車で大人が読むのは、疲れていても気楽に読めるからでしょう。	**A8** Because first, I would like you to know that Japanese comics are sophisticated, having intriguing stories, including educational ones ranging from history to economics so that adults can really enjoy them. Second, adults read comics on trains because they are easy to read even when adults are tired.

一言アドバイス

　この英語はどうですか。確かに signposting はしていますが、"I would like you to know that ～" という出だしは感心しません。それよりも "I think ～" を使って自分の意見を述べましょう。それから第1のポイントと第2のポイントが矛盾している点に気づきましたか。つまり、"sophisticated (=very well designed, very advanced, and often works in a complicated way)" と "easy to read" という点です。これは英和辞典使用からくる「英語音痴」の表れです。そこで矛盾をなくすためには "variety" を述べて、次のハイフン英語を使ってひきしめれば、「達人」レベルの英語になります。

　I think there are two reasons for the adult readership in Japan. First, Japanese comics are rich in variety, ranging from intriguing ones to merely diverting ones that are easy to read. Many of them are written in such a sophisticated way that even adults can enjoy them. Second, Japanese workers' long commuting after hard day's work tempts them into light reading for relaxation. Those easy-to-read and entertaining types are much better than text-only books for those stressed-out Japanese workers.

（83語—33秒）

大意 第1に種類が豊富。奥が深いものから、単純に面白いものまでいろいろあり、大人も楽しめるように見事な技法で描かれているものが多い。もう1つには、一生懸命仕事をした後の長い通勤時間には、軽い読み物でくつろぎたくなるものだ。

さて皆さんいかがでしたか？　こういったやり取りは、日本人が外国人と英語で中身のある会話をする時や、異文化間コミュニケーションをする時に頻繁に起こります。ですから「外国人が日本人によく聞く質問100」や「日本その姿と心」をはじめ、講談社から英語日本語対訳で出版されている日本文化の本などをどんどん音読Inputして、バシバシ英会話で使いましょう。せっかく外国からの訪問客を案内するチャンスがあっても、何の準備もせずに出かけては相手も退屈してしまうし、自分の英語力を伸ばす効率も悪くなります。名所の案内や日本事象くらいは、前もって準備して話すようにしましょう。私たちの英語とは、そういった努力を積み重ねていった結果、実を結ぶものなのです。

第3章

論理性を鍛えて アーギュメント力 ワンランク UP!

1 してはいけないアーギュメントの原則

アーギュメントをして行く上で避けるべき 8 つの **"argument fallacies"** があります。

1. **Hasty Generalization:** a fallacy that makes claims based on insufficient or unrepresentative examples
   （不十分な例で主張をサポートする誤り）
2. **Post Hoc Ergo Proper Hoc:** a chronological fallacy that says a prior event caused a subsequent event
   （時間の前後関係を因果関係と混同した虚偽の論法）
3. **Slippery Slope:** a fallacy of causation that says one action inevitably sets a chain of events in motion（エスカレート論法）
4. **Red Herring:** a fallacy that introduces irrelevant issues to deflect attention from the subject under discussion（人の注意をそらす論法）
5. **Appeal to Tradition:** a fallacy that opposes change by arguing that old ways are superior to new ways （伝統を重視する論法）
6. **False Dilemma:** a fallacy that confronts listeners with two choices when, in reality, more options exist （偽りのジレンマ論法）
7. **Bandwagon:** a fallacy that determines truth, goodness, or wisdom by popular opinion （大衆意見による正当化論法）
8. **Ad Hominem:** a fallacy that urges listeners to reject an idea because of the allegedly poor character of the person voicing it（人格攻撃論法）

まず 1 の hasty generalization は、例えば、2、3 人の知事がセクハラをしたという事例からすべての知事がセクハラをすると主張するパターンです。

2 は、「偶然の一致」に「因果関係」を見出そうとする場合がそうで、例えば、とんかつを食べた日にたまたま自分の応援している野球チームが勝ったとか、ひげをそらないで出かけた時に限って、ギャンブルに勝ったということが起こった場合に、両者に因果関係があると主張するパターンです。

3は、「もし消費税を3%にすれば、やがては5%になり、そのうち7%に、そしてついには10%まで上がって大変なことになる」という具合に話がどんどんエスカレートしていく論法です。

4は、政治家などが自分に不都合な質問をされたときに、関係のないことを言って話題をそらそうとするパターンです。

5は、昔からのやり方のほうが今のやり方よりも優れている、「今の若者はなってない」式の論法で、これも全然説得力がありません。

6は、何らかの問題の打開策の選択肢が、2つしかないというふうに見せかけて説得しようとするものです。例えば、防衛費増大の論議で、「防衛費を上げるか国を弱体させるかのどちらかだ」といった論法で、誰しも国を弱体化させることは望んでいない意識を利用し、防衛費を上げなければならないかのごとく錯覚させるパターンです。実際には国力を強化するには、経済を強化したり、科学技術力をつけたりする方法もあるということを忘れさせてしまうものです。

7は、「みんなしています」、「これは常識です」と言って説得しようとするもので、よくセールスパーソンが用いる手です。

8は、相手の意見に反論するのではなく、人格を批判することで相手の説得力を弱めようとするものです。よく政治討論などで見かけるように、相手の人格を攻撃して笑い者にすることで、その人の政策までも叩こうとするパターンです。

これらがアーギュメントにおいて避けるべき8つの"argument fallacies"と言われているものです。これらを頭に叩き込んでいただき、さっそく面白いクイズ形式になったアーギュメントトレーニングにチャレンジしていただきましょう。まずは日本語で、いかにも日本人らしい意見のやりとりを読み、いったい何がまずいのかを考えてみてください。そして日本語を見ながら、英語でならどう言うかも考えて見ましょう。

それでは第1問に参りましょう。

トレーニング１

何がまずいか？

A：お父さん、タカシがまた英語 100 点取ってきたよ。
B：やっぱり…父さんがカレーを昼に食べれば、タカシは必ず満点なんだ。
A：やだ、それは単なる偶然じゃんか。
B：何言うか、中間テストの時だって実力テストの時だってカレーだったんだぜ！　父さんとカレーの威力を甘く見てはいかんぜ。

Q1　英訳

A：Dad, Takashi got a perfect score again on an English test.
B：I knew it!! When I have curry and rice for lunch, Takashi always gets a perfect score.
A：Come on, it's just a coincidence.
B：What? When he got 100 points on the mid-term exam and achievement test, my lunch was curry and rice. You should give me and curry and rice more credit!

解答 & 解説

　タカシの 100 点は、お父さんがカレーを食べたから…こういった偶然の一致を、何か因果関係があるように結び付けて考えようとすることを **Post Hoc, Ergo Proper Hoc**（これ故こうなった！）: a chronological fallacy that says a prior event caused a subsequent event （単なる時間の前後関係を何らかの因果関係があるように混同した誤り）と言います。例えば、自分の応援している野球チームが勝った時に、たまたま自分もマージャンで勝ったとか、宝くじがあたったなどという偶然が数回続いた場合などに、両者に因果関係があると主張するパターンです。家族や友人同士の会話ならジョークですみますが、社会的トピックを語る時にはふさわしくありません。

アーギュメント重要ポイント①
偶然と因果関係を結び付けない！

では、ここで今から皆さんに **logical analysis** という問題に挑戦していただきます。これはアーギュメントに強くなるための論理性を鍛えるのに大変役立つ問題です。アメリカの大学院進学を目指す人が受けなければいけない、GMAT や GRE（法学部専門用の LSAT はほとんどこの問題ばかり）といった試験で出題され、アメリカで弁護士を目指す人たちなら避けては通れない問題です。今からそれらを実際に体験していただきましょう。まずは小手調べの一題。

論理的分析力を鍛える問題　1

An independent medical research team recently did a survey at a mountain retreat founded to help heavy smokers quit or cut down on their cigarette smoking. Eighty percent of those who smoke three packs a day or more were able to cut down to one pack a day after they began to take End-Smoke with its patented desire suppressant. Try End-Smoke to help you cut down significantly on your smoking.

Which of the following could be offered as valid criticism of the above advertisement?

1. Heavy smokers may be physically as well as psychologically addicted to tobacco.
2. A medicine which is effective for very heavy smokers may not be effective for the population of smokers generally.
3. A survey conducted at a mountain retreat to aid smokers may yield different results from one would expect under other circumstances.

Words & phrases
- **mountain retreat**（山荘）
- **desire suppressant**（欲望抑止剤）

3 論理性を鍛えてアーギュメント力 ワンランクUP！

- [ ] **valid criticism**（妥当な批判）
- [ ] **psychologically addicted**（心理的に中毒になって）
- [ ] **yield different results**（異なる結果をもたらす）

解答 & 解説

　正解は 2 と 3 です。ある医療調査団によるとヘビースモーカーの禁煙促進用山荘で、1 日に 3 箱以上吸っていた人 80% 以上が、1 日 1 箱にまで節煙成功。これは特許を得た欲望抑止剤と共に、「エンド・スモーク」を飲んだ結果なので、画期的な禁煙に「エンド・スモーク」を、という広告の**弱点**（weakness）を見つける問題です。2「ヘビースモーカーに効いても、喫煙者一般には効かないかも」3「ヘビースモーカー救済用に建てられた山荘での結果であって、他の状況では違う結果になるかも」が正解。1「ヘビースモーカーは心身ともにタバコ中毒である」は広告に対する批判になっていません。

　さて皆さんいかがでしたか？　このアギューメントの弱点は発見できましたか。もし選択肢を読まなくても、弱点が発見できた人は、ディベーター並の分析力（ability for critical reasoning）があります。そういった力が弱い人も、この章のトレーニングによってその能力を養っていただきましょう。それでは次の問題です。

トレーニング２

何がまずいか？

A：今の不況を生き残るには、残業しかない！
B：でも、もう2ヶ月も毎日終電でくたくたですよ。
A：弱音を吐くなよ。残業しなければ、リストラされて一家全員路頭に迷うんだぜ。
B：でも、せめて10日に1日でもいいから休みがほしいです。
A：残業か、破滅かしかないんだ！　働くしかないだろう！

Q2　英訳

A：We have to work overtime to survive the current recession!
B：But I've been working till the last train for home for the last two months. I am burned out.
A：Don't whine like a loser. Work after hours or lose your job. In the latter case your family will end up in the streets.
B：Yeah...but I need a day off at least every ten days.
A：Do overtime or walk the streets! You have no other choice!

解答 & 解説

　これは **False Dilemma**（偽りのジレンマ論法）：a fallacy that confronts listeners with two choices when, in reality, more options exist（実際はいくつも選択肢があるのに、2つしかないように見せかける誤り）といわれるもので、ある問題に対して、解決方法が2つしかないというふうに見せかけて説得しようとするものです。例えば、前述のように防衛費増大の論議で、「防衛費を上げるか国を弱体させるかのどちらかだ」といった論法で、誰しも国が弱くなってもいいとはあまり思っていない点を利用し、実際には国力を強化するためには、経済や科学技術力強化という方法もあるのに、防衛費を上げるしかないと錯覚させてしまうパターンです。問題も、残業以外に仕事の能率を上げ

る、シフト制にしてそんなに残業残業と言わなくても、サバイバルできる程度には仕事の成果を上げる、などいろいろな方法は絶対あるはずです。

アーギュメント重要ポイント②
2つしかないと決め付けるのは危険！

論理的分析力を鍛える問題　2

> Some judges have allowed hospitals to disconnect life-support equipment of patients who have no prospect for recovery. But I think that is cold-blooded murder. Either we put a stop to this practice now or we will soon have programs of euthanasia for the old and infirm as well as others who might be considered a burden. Instead of disconnecting life-support equipment, we should let nature take its course.

Which of the following are valid objections to the above argument?
1. It is internally inconsistent.
2. It employs emotionally charged terms.
3. It presents a false dilemma.

Words & phrases
- **disconnect**（～のスイッチを切る）
- **life support equipment**（生命維持装置）
- **cold-blooded murder**（冷酷な殺人）
- **euthanasia**（安楽死）

解答 & 解説
　正解は1と2と3。「末期患者の生命維持装置を切る許可をした裁判官がいるが、それは殺人だ。これを現時点でやめなければ、いずれ高齢者や弱小者、お荷物とみなされる人間を安楽死させるプログラムができる。人の死は自然にまかせるべきだ」という安楽死反対派の意見に対して、1「矛盾をかかえてい

る」2「感情に訴える語を用いている」3「偽りのジレンマ論法である」という批判で的を射たものを探します。1 は「生命維持装置」にかけること自体が自然に反するので正解。2 は cold-blooded murder や programs が感情に訴える語、3 は今すぐやめないと、高齢者や弱小者、荷物とみなされる人間を安楽死させるプログラムができるというように、やめるか、プログラムができるかの 2 つに 1 つしかないように見せかけている点で正解。実際にはそういったプログラムなどできず、安楽死を望んだ人だけが生命維持装置を切ってもらったり、あるいはとにかく生命維持装置を切るのは不可ということになったり、どうなるかわからないのに、いかにも 2 つに 1 つしかないように見せかけている **false dilemma** です。いかがですか。それでは次の問題です。

トレーニング３

何がまずいか？
Ａ：約束は 10 時なのに。もう 10 時半よ。
Ｂ：あなただってよく遅れるじゃない。

Q3　英訳
Ａ： We were supposed to meet at 10. Now it's already 10:30.
Ｂ： You often come late too, don't you ?

解答 & 解説

　これは **red herring**（注意をそらすもの）: a fallacy that introduces irrelevant issues to deflect attention from the subject under discussion（今話し合っていることから、相手の注意をそらすために関係のない話などをとりあげる詭弁）つまり**すりかえの術**。自分が遅れたことが今、話のポイントであり、そのことを謝ったり、なぜ遅れたかを説明すべきなのですが、多分素直に謝りたくないのか、日頃の人間関係がうまくいってないのか、とにかく相手もそうじゃないかと逆襲することで、自分への攻撃を弱めようという作戦。これは、時間厳守と言う点でまだ関連がありますが、政治家などが自分に不都合な質問をされたときに、まったく関係のないことを言って話題をそらそうとするのはよくあるパターン。誰もがよく使う手ですが、英語でディベートする時は、通用しないのでご用心。

アーギュメント重要ポイント③
関係のない話で人の気をそらさない！

論理的分析力を鍛える問題　3

> During New York City's fiscal crisis of the late 1970's, governmental leaders debated whether to offer federal assistance to New York City. One economist who opposed the suggestion asked, "Are we supposed to help out New York City every time it gets into financial problems?"

The economist's question can be criticized because it
1. assumes everyone else agrees that New York City should be helped.
2. appeals to emotions rather than use logic.
3. relies upon second-hand reports rather than first-hand accounts.
4. completely ignores the issue at hand.

Words & phrases

- **second-hand report**（間接的な報告）
- **first-hand accounts**（実体験に基づいた根拠）

解答 & 解説

　いかがですか？　正解は4の「今問題にすべき点を無視している」です。ニューヨーク市が経済危機に陥り、政府首脳陣は援助を申し出るかどうかを話し合ったのですが、あるエコノミストが「ニューヨークが経済危機に陥れば、いつも救済しなくてはいけないのか」ということによって、ポイントをそらそうとしている点がおわかりですか。これが **"red herring"** と呼ばれるものです。これに対して、「ニューヨーク市だけ援助して、他の経済的危機にある市はどうするのだ」とか「連邦政府の予算も苦しい中、どこにそんな余裕があるのだ」という反論であればずれていません。これも討論や交渉をしている時に起こりがちなことで、注意して聞いていないと相手のペースにはまってしまいますよ。それでは次の問題です。

トレーニング4

何がまずいか？
A：この CD をマスターすると英会話がペラペラになるんだって。
B：ふーん、どこがどういいの？
A：さぁ、でも私の知ってる人は、皆いいって言ってるから、結構役に立つんじゃないかな。

Q4　英訳
A：I heard this CD makes a great difference in your English speaking.
B：Really? How does it work?
A：Well, I don't know. But everyone I know who used it says it works. So I think it's good.

解答 & 解説

　これは **Bandwagon**（勢いに乗った動き）；a fallacy that determines truth, goodness, or wisdom by popular opinion（真実や善、知恵などを、人はこう言っているから正しいのだと決め付けようとする誤り）と呼ばれるもので、この会話の人は別に何かを押しつけよう、売りつけようという意図はないようですが、よくセールスパーソンが「みんなしています」、「これは常識です」と言って説得して買わせようとする時使う手です。

アーギュメント重要ポイント④
皆が言っても正しいとは限らない！

論理的分析力を鍛える問題　4

Many people ask, "How effective is Painaway?" So, to find out we have been checking the medicine cabinets of the apartments in this typical building. As it has turned out, eight out of ten contain a bottle of Painaway. Doesn't it stand to reason that you, too, should have the most effective pain-reliever on the market?

The appeal of this advertisement would be most weakened by which of the following pieces of evidence?

1. Painaway distributed complimentary bottles of medicine to most apartments in the building two days before the advertisement was made.
2. The actor who made the advertisement takes a pain-reliever manufactured by a competitor of Painaway.
3. Most people want a very, effective pain-reliever.
4. Many people take the advice of their neighborhood druggists about pain-relievers.

Words & phrases

☐ **medicine cabinets**（薬箱）
☐ **stand to reason**（理にかなう）
☐ **pain-reliever**（鎮痛剤）
☐ **complimentary**（無料の）
☐ **druggist**（薬剤師）

解答 & 解説

　これもいい問題です。正解は 1 の「会社が事前に、この薬をアパート内のほとんどの家庭に配っておいた」です。「イタミサール」がどれだけ効くか？あるアパートの各家庭の薬棚を見せてもらったら、10 軒に 8 軒がイタミサールを常備していた。これがとっても効くという証拠だという広告に対して、2 「この広告に出ている俳優は、ライバル社の鎮痛剤を使っている」も、3 「ほ

とんどの人は速効性がある鎮痛剤を求めている」も、4「多くの人が近くの薬剤師から鎮痛剤のアドバイスを受ける」も反論になっていません。それに対して「前もって会社が、この薬をアパートのほとんどの家庭に配っておいた」ということが判明すれば、この広告は無力化（neutralize）されてしまいます。「な〜んだ、ただ配っておきながら詐欺みたいな奴だな。」と言われてしまうでしょう。それでは次の問題です。

トレーニング5

何がまずいか？

A：喫煙者と非喫煙者の権利についてどう思う？
B：そりゃー、喫煙者に権利なんてないよ。タバコなんて有害なだけなんだから。
A：じゃぁ、吸わない人の権利は？
B：タバコの害がわかってるから誰もタバコなんて吸わないんじゃない。

Q5　英訳

A：What do you think about the rights of smokers and non-smokers?
B：Smokers have no right. Cigarettes are harmful, you know that.
A：Then what about non-smokers' rights?
B：Nobody wants to smoke, because people know it's a health hazard. Don't you think so?.

解答 & 解説

　これは聞かれたことから、答がずれているのがわかりますか？　吸う人と吸わない人の権利の話なのに、Bさんは、どうもタバコの有害性についてばかり話そうとしているようです。まずは絶対**トピックや質問に関連することを述べる**（関連性（relevancy）が重要）。chattingならともかく、英検や通訳ガイドの2次試験などでは、トピックからずれて話していると、"Stick to the topic."「課題にそって話してください」"You are not answering my question."「聞いたことに答えていませんよ」と注意されるでしょう。

　概して日本人は、トピックにぴったり合ったことのみを話すことが非常に苦手です。例えば、"It is better not to tell the truth to terminal cancer patients."（末期がん患者には真実を言わない方がいい）というトピックなのに、「真実を言わない方がいい」という広いトピックについて話して、それで

53

いったり、逆に広いトピックなのに狭いトピックについてのみ話したりして、ポイントを把んでその点についてのみ話すのが下手なようです。そこで**与えられたトピックをしっかり捉えて、それだけを話すようにトレーニングしましょう。**

アーギュメント重要ポイント⑤
トピックからそれない！

論理的分析力を鍛える問題 5

When this proposal to reduce welfare benefits is brought up for debate, we are sure to hear claims by the liberal congressmen that the bill will be detrimental to poor people. These politicians fail to understand, however, that budget reductions are accompanied by tax cuts — so everyone will have more money to spend, not less.

Which of the following, if true, would undermine the author's position?
1. Poor people tend to vote for liberal congressmen who promise to raise welfare benefits.
2. Poor people pay little or no taxes so that a tax cut would be of little advantage to them.
3. Any tax advantage which the poor will receive will be more than offset by cuts in the government services they now receive.

Words & phrases
☐ **be detrimental to** （〜に対して不利な）
☐ **be more than offset by**（〜の方の打撃の方が大きい）

> 解答 & 解説

　正解は 2 と 3 です。「福祉給付削減について、革新派議員は貧困層に不利だと文句をつけるだろう。だがそれは、税金削減を伴うことを忘れているからで、使える金は増える」という主張の弱点を探すわけです。1「貧困層は福祉給付金アップ派の革新派に投票する」、2「貧困層はほとんど税金を払わないので、税金カットの恩恵も大したことない」、3「税金上の優遇で貧困層が得る利益より、現在受けている他の福祉を減らされることのマイナスの方が大きい。」の中で、関係のない 1 を省いた 2 と 3 が正解になります。そりゃ考えてみれば、貧乏な人はほとんど税金など払っていないわけだから、福祉を cut されるとその方が痛いでしょう。

　それでは次の問題です。

トレーニング6

何がまずいか？

A：高校生の化粧についてどう思う？
B：そりゃ反対だ。
A：なぜ？
B：なぜって、昔の高校生を見てごらん！　誰も化粧なんかしてなかったぞ。学生らしくて皆美しかった。高校生に化粧なんか不必要なんだ。

Q6　英訳

A：What do you think about high-school students' makeup?
B：I'm strongly against it.
A：Why?
B：Why ?! Think about high school students generations ago. Nobody wore make-up. That is what high school students are all about. It's quite unnecessary for high school students.

解答 & 解説

　これは **Appeal to Tradition**（伝統に訴える）: a fallacy that opposes change by arguing that old ways are superior to new ways（新しい方法より古い方法の方が優っているとして、変化に反対する誤った論法）です。こういった点で古い方がいいんだと理由を挙げて説明するのではなく、とにかく「昔はよかった」「今の若者はなってない」式の論法で、全然説得力がありません。

アーギュメント重要ポイント⑥
古くからあってもいいとは限らない！

論理的分析力を鍛える問題 6

A recent survey by the economics department of an Ivy League university revealed that increases in the salaries of preachers are accompanied by increases in the nationwide average of rum consumption. From 1965 to 1970 preachers' salaries increased by an average of 15% and rum sales grew by 14.5%. From 1970 to 1975 average preachers' salaries rose by 17% and rum sales by 17.5%. From 1975 to 1980 rum sales increased by only 8% and average preachers' salaries also grew by only 8%.

Which of the following is the most likely explanation for the findings cited in the paragraph?
1. When preachers have more disposable income, they tend to allocate that extra money to alcohol.
2. Since there were more preachers in the country, there were also more people; and a larger population will consume greater quantities of liquor.
3. The general standard of living increased from 1965 to 1980, which accounts for both the increase in rum consumption and preachers' average salaries.
4. When preachers are paid more, they preach longer; and longer sermons tend to drive people to drink.

Words & phrases
- **Ivy League**（アイビーリーグ　米国北東部の名門大学の総称）
- **preacher**（牧師）
- **disposable income**（可処分所得）
- **allocate**（充当する）
- **sermon**（説教）

> **解答 & 解説**

　できましたか？　正解は3の「1965年～80年の生活水準の向上がラム酒消費アップ、牧師のサラリーアップの原因になっている」です。「アイビーリーグの一大学の経済学部調査によると、全国的なラム酒消費量の増加と共に牧師のサラリーが上がっている。1965～70年には牧師のサラリーが15%アップ、ラム酒消費は14.5%アップ、1970～75年はサラリー17%でラム酒17.5%、1975～80年はラム酒8%でサラリーも8%の伸び」という調査結果の説明として1、2、4はそれぞれ次の通りです。1「牧師は余分な金を酒類に使う傾向がある」2「我が国の牧師は増え、人口も増えた。故に酒の消費量も増える」4「牧師のサラリーが上がれば説教が長引き、聞いている者は飲みたくなる」。しかし、1（そうとは限らない）も2（弱すぎる！）も4（ジョークか、面白すぎる！）もダメで、3が一番まとも（plausible）でしょう。

　さて皆さんどんどん論理分析（logical analysis）に慣れてきましたか。それでは頑張って次の問題に参りましょう！

トレーニング7

何がまずいか？
A：春本議員って、結局賄賂を受け取っていたのよ。
B：議員って絶対そうだって。何もしてませんって言ったって、賄賂くらい絶対受け取ってるんだ。あいつら、みんな腐ってるよ。

Q7　英訳

A : After all, Mrs. Harumoto received the bribe.
B : Corrupt is politicians' middle name, you know. They claim to be very clean, but in fact they have no qualms about bribery. All the politicians are rotten to the core!

解答 & 解説

　これは **Hasty Generalization**（早合点）: a fallacy that makes claims from insufficient or unrepresentative examples（不十分な例で主張をサポートする誤り）の例です。1人の議員が贈収賄事件を起こして、そこから議員というのは贈収賄事件を起こすもの、と主張しています。そんなことは議員によって違いますし、清廉潔白な政治家もいるわけですから、こんな決めつけ方はとってもまずいわけです。自分の意見を主張する場合、**十分な根拠を持った例を挙げなくては説得力がありません。**

> **アーギュメント重要ポイント⑦**
> **説得力ある証拠を持ってくる！**

論理的分析力を鍛える問題　7

New Weight Loss Salons invites all of you who are dissatisfied with your present build to join our Exercise for Lunch Bunch. Instead of putting on even more weight by eating lunch, you actually cut down on your daily caloric intake by exercising rather than eating. Every single one of us has potential to be thin, so take the initiative and begin losing excess pounds today. Don't eat! Exercise! You'll lose weight and be healthier, happier, and more attractive.

Which of the following, if true, would weaken the logic of the argument made by the advertisement?
1. Most people will experience increased desire for food as a result of the exercise and will lose little weight as a result of enrolling in the program.
2. Nutritionists agree that skipping lunch is not a healthy practice.
3. In our society, obesity is regarded as unattractive.
4. A person who is too thin is probably not in good health.

Words & phrases

☐ **be dissatisfied with**（〜に対して不満を持っている）
☐ **caloric intake**（カロリー摂取量）
☐ **excess pounds**（余分なポンド）

解答 & 解説

　なんかムチャクチャな論法ですね。この問題は解けましたか。正解は1「運動すれば余計空腹になり、結局体重は減らない」と2「昼食を抜かすのは健康に悪い」です。ニューウエイトロスサロンは今の自分の体型に不満な方は、ランチ・エクセサイズにお誘いします。食べて体重を増加させるのでなく、食べずに運動をすればカロリーを取らずにすみますよ。「誰もがやせられます。さあ積極的に余分な体重を今日から落としましょう。食べないで！運動しよう！

そうすれば体重は減り、もっと健康に、ハッピーに、そして魅力的になりますよ！」というアーギュメントを弱める事実としては、3「肥満は魅力がないとみなされる」、4「やせ過ぎの人はえてして不健康」は関係なく、1がもしそうだとすると（大体その通りで、だからダイエットが難しい）、これは強い反論となるし、2も当然の事で、「食事を抜いて健康になるはずがない」と叩かれてしまいます。1は比較的見つけやすいでしょうが、2も、忘れないように注意しましょう！　さてそれでは次の問題！

トレーニング8

何がまずいか？

A：末期ガンだなんて言われたら生きる気力を失いそうだ。
B：私なら本当のことを知りたいね。その方が余生を有意義に過ごせそうだ。
A：そうできる人はいいけど、弱い人間はきっとがっくりきてしまって、よけい病気がひどくなるかも。
B：それは、あまりにも後ろ向きだ。大体君って何でもそうやって否定的に考えるよな。
A：いや、今は私のことより、性格的に弱い人だったらって考えたんだけど…
B：一般論でなく、君は何でもマイナス思考なだけだよ。

Q8　英訳

A : If I were told I had terminal cancer, I'd be so depressed that I would lose my drive for everything.
B : Well, I'd rather get the truth. It will allow me to make the most of the remaining period of my life.
A : You may have the strength of character to face the grim reality, but weak-minded people would be devastated. Truth-telling could aggravate their conditions.
B : You only look on the dark side of things. You are so negative about everything.
A : I mean weak-hearted people in general.
B : No, you are the typical example of a negativist.

解答 & 解説

途中からけんかになってきました。これは **ad hominem**（人の性格を攻撃して）: a fallacy that urges listeners to reject an idea because of the allegedly poor character of the person voicing it（発言している相手の性格が

悪いと勝手に決めつけて、その発言内容まで拒絶してしまう、人格攻撃戦法といわれる過ち）です。相手の意見に対して反論しなくてはならないのに、その人の人格を批判することで相手の説得力を弱めようとするものです。よく政治討論などで見られる相手の人格を攻撃して笑い者にし、その人の政策までも叩こうとするパターンですが、これは口げんかにはよく見られるもので、ルールのあるディベートでは反則です。

アーギュメント重要ポイント⑧
人格攻撃は口げんかだけにしか通用しない！

論理的分析力を鍛える問題　8

We must do something about the rising cost of our state prisons. It now costs an average of $132 per day to maintain a prisoner in a double-occupancy cell in a state prison. Yet, in the most expensive cities in the world, one can find rooms in the finest hotels which rent for less than $125 per night.

The argument above might be criticized in all of the following ways **EXCEPT**

1. it introduces an inappropriate analogy.
2. it relies on an unwarranted appeal to authority.
3. it fails to take account of costs which prisons have but hotels do not have.
4. it misuses numerical data.

Words & phrases

☐ **double-occupancy cell**（定員2名の監房）
☐ **analogy**（たとえ）
☐ **unwarranted appeal**（不当な抗議）
☐ **numerical data**（数値データ）

3　論理性を鍛えてアーギュメント力 ワンランクUP！

解答 & 解説

　正解は 2。「州立刑務所にかかる費用増加に歯止めをかけなくては。州立の刑務所では、2 人部屋で 1 人当たり 1 日 132 ドルかかる。いいホテルでも 1 人当たり 125 ドル以下で泊まれるのに」というこの理屈を批判する場合、的外れの批判になっているものを探さなくてはなりません。問題を注意深く読むことは、基本的でいつも大切です。2「権威筋に不当に訴えている」が的外れの批判になります。他は、すべて同様の妥当な批判（valid criticism）で 1「比較の仕方が妥当ではない」3「刑務所でかかり、ホテルではかからないコストを入れ忘れている」4「数のデータを誤用している」、ともに数字のトリックをうまく叩いています。

トレーニング９

何がまずいか？
A：どうしてこの英語学校を選んだのですか？
B：通訳になりたかったからです。

Q9　英訳
A： Why did you choose this English school?
B： Because I wanted to be a translator.

解答 & 解説

　logical analysis に弱い日本人の感覚では問題ないように聞こえますが、実はこの答え「他の学校ではなく、なぜこの学校を？」という比較を要求する問いには答えていません。つまり「この英語学校は通訳訓練に力を入れており、実績も高い。他の学校より、この学校で勉強すれば確実に自分も力がつくと思ったから。」が質問に対する的確な答え方です。このようなピントはずれな答え方は日本語では多々ありますが、英語のロジックでは通用しないので気をつけましょう。この問題は、まさに日本人の論理性を試すいい問題です。

アーギュメント重要ポイント⑨
理由説明はきちんと順序立てて行う！

論理的分析力を鍛える問題　9

　There is something irrational about our system of laws. The criminal law punishes a person more severely for having successfully committed a crime than it does a person who fails in his attempt to commit the same crime — even though the same evil intention is present in both cases. But under the civil law a person who attempts to defraud his victim but is unsuccessful is not required to pay damages.

Which of the following, if true, would most weaken the author's argument?
1. Most people who are imprisoned for crimes will commit another crime if they are ever released from prison.
2. There are more criminal laws on the books than there are civil laws on the books.
3. A criminal trial is considerably more costly to the state than a civil trial.
4. The goal of the criminal law is to punish the criminal, but the goal of the civil law is to compensate the victim.

Words & phrases
- **irrational**（理屈に合わない）
- **evil intention**（悪意）
- **defraud**（〜に対して詐欺を働く）
- **damages**（損害賠償）
- **criminal law**（刑法）
- **civil law**（民法）
- **trial**（裁判）

解答 & 解説
　正解は4。「刑法では実際に罪を犯した既遂犯の方を、犯罪未遂犯より厳しく罰する。どちらにも同じ悪意があるのに。民法でも不法行為要件不成立なら罰金を払うことは要求されない」ところが法律のおかしい点だという意見を弱めるのは、1「刑務所に入ったほとんどの者は、釈放されればまた別の罪を犯す」2.「刑法は民法より多い」3.「刑事訴訟の方が民事訴訟より経費がかかる」4.「刑法の目的は犯罪者を罰することで、民法は被害者救済が目的」の中で、1～3は、このアーギュメントのポイント、つまり民事と刑事の罰の違いからそれており、それぞれの法律の意図が異なるのに、比較できない点を指摘した4が正解となるのはおわかりですか。さて、それでは最後のトレーニングです。

トレーニング 10

何がまずいか？
A：一度ダンスをやってみたいですか。
B：いや、いいです。
A：どうして？
B：時間がないから。

Q10　英訳
A：Would you like to give dancing a try?
B：No, I would rather not.
A：Why not?
B：Because I just don't have the time.

解答 & 解説

　ダンスをやってみたいかどうかの理由として「時間がない」というのは、理由としては弱く、関連性（relevancy）が弱いものです。「ダンス」をトライしたくない理由なのですから、例えば「知らない人とくっついて手を取り合って踊るなんて気恥ずかしい」とかが、関連性のある強い理由になる（make a good case）のです。

アーギュメント重要ポイント⑩
アーギュメントでは関連性のある強い理由を述べる！

さぁ、最後の一問です。頑張りましょう！

3 論理性を鍛えてアーギュメント力 ワンランクUP！

論理的分析力を鍛える問題 10

Stock market analysts always attribute a sudden drop in the market to some domestic or international political crisis. I maintain, however, that these declines are attributable to the phases of the moon, which also cause periodic political upheavals and increases in tension in world affairs.

It can be inferred that the author is critical of the stock analysts because he
1. believes that they have oversimplified the connection between political crisis and fluctuations of the market
2. knows that the stock market generally shows more gains than losses
3. suspects that stock analysts have a vested interest in the stock market and are therefore likely to distort their explanations
4. anticipates making large profits in the market himself

Words & phrases

☐ **be attributable to**（～に原因がある）
☐ **periodic political upheaval**（周期的に起きる政変）
☐ **oversimplify**（単純化し過ぎる）
☐ **fluctuations**（変動）
☐ **have a vested interest**（利害関係がある）
☐ **distort**（こじつける）

解答 & 解説

正解は 1。「株式市場のアナリストというのは、株が急に暴落すれば、国内外の政治危機のせいにするが、株価は月の満ち欠けに関係があるのだ。周期的に起る政治上の激変や、世界情勢で緊張感が高まるのも月の満ち欠けが関与している。」という意見。これから、作者はアナリストをどの点で批判しているかを見つけなくてはなりません。1.「政治的危機と市場経済の変化をあまりにも単純に結び付けすぎている」2.「株価は下がるより上がることの方が多いと

作者は知っている」3.「アナリストは相場予測で自分の評判が落ちるのを恐れて因果関係のこじつけをしがちである。」4.「株で儲けようと期待している」という選択肢のうち、2も3も4も全く関係がなく、唯一1だけが、問題文のアナリストの態度と一致し、作者は経済と政治を容易に結びつけるアナリストを批判しているわけです。

さて皆さんいかがでしたか。論理性の弱い人にとって、これらの問題はなかなか challenging でしょう。もっとこういった問題にチャレンジして論理的分析力を鍛えたい人は、GRE や GMAT、LSAT などの logical analysis の問題をどんどん解いて、その能力を高めていきましょう。

Let's enjoy the process!（陽は必ず昇る！）

2 アーギュメントでは関連性のある強い理由を述べる!

このように普通のおしゃべりやけんかとは違って、アーギュメントにはいろいろなガイドラインがあり、以下のような点が大切です。

①ポイント (Key Ideas) がオーバーラップしないようにする
例えば、次のような文を見たら、皆さんはどう思われますか？

> このシリアル (**cereal**) は、朝食にぴったり！ 特に次のような方にお薦めします。
> ①美容と健康に気を使う方
> ②高血圧が気になる方
> ③体重の増加が気になる方

どうですか？ ①で美容と健康と言ってしまっているので、②はその健康、③は①の美容に関連していますね。ゆえにこの3つに分けてあるキーアイディアは厳密には、同じことを繰り返して言っていることになるのです。正しくは①高血圧が気になる方、②体重の増加が気になる方、という具合にキーアイディアは2つだけになるわけです。そしてあえて付け加えるとすれば③上記以外にも、ずっと健康で美しくありたい方、などと加えるとキーアイディアが重なっていることにはなりません。普段はそんな厳密に物事を考えて、話しているわけではないので、案外このキーアイディアを **"categorization"** (カテゴリー化) するのは難しいものなのです。

② 5W1H を明確に述べる
分かりきっていても「日本では」、「現在では」と、場所や国、時間などを明確に述べるようにします。英語は日本語より文脈依存度が低い (English communication is **lower-contextual** than Japanese communication.) つまり、聞いただけで、ほとんど文字通り情報が直接入ってくるような sender-oriented (発信型) の言語なのです。それに対して、receiver-oriented (受信

型）の日本人の英語は、省略し過ぎて欧米人にはわかりにくいことが多いのです。特にこの 5W1H の明確化を、私たち日本人はよく忘れがちです。

●まずは時を明確に！
　"nowadays, up until now, for the past three decades" などを始めとする、時を表す表現を用いて文を明確にしましょう。

●次に誰であるかを明確に！
　私たち日本人のスピーキングやライティングは、一体、誰（who）が主体なのかわかりにくいことが多いのです。よく "we" を使いますが、それが実際は "the government" であったり、"the mass media" であったりします。これは日本語のコミュニケーションにおいては、主語を省いたり、「みんなが～」と主語をあいまいにしたりしているうちに、英語でもそれらを明確にしない習慣が身についてしまったようです。できる限り、誰なのかを明確にしましょう！　そして一般論であるなら、説得力を出すために "you" がよく用いられます。

●最後に、なぜを明確に！
　"logical thinking" の好きな欧米人は、理由を聞かれなくても何かを話した後、～ because と話を進めていく習慣がありますが、日本人は聞かれるまでは because 以下は述べない傾向があります。プレゼンテーションの場合、話の途中で聞き手は質問がしにくいため、理由を述べながら話を進める必要があります。

　さて皆さん、クイズ形式のアーギュメント実践トレーニングはいかがでしたか。こういったロジカルアナリシスの問題練習を始めとするトレーニングを数多くこなすことによっても、皆さんの論理的思考 & 表現力を効果的に高めることができます。単なる読解問題とは一味も二味も違った面白さがありますので、留学するしないにかかわらず前述の問題集にもチャレンジしてみましょう。それでは次は皆さん、アーギュメント力［論理的スピーキング力］を、ワンランク UP するための表現力を豊かにしていただきましょう。

第4章

論理的スピーキング力ワンランクUPの表現集！

1 類語を使い分けて表現力ワンランク UP！

　スピーキング力［アーギュメント力］を UP する上で避けて通れないのが、適確な類語の使い分けです。語彙には話し言葉（**spoken English words**）、書き言葉（**written English words**）があり、前者はインフォーマルで意味の多い "general words" であるのに対して、後者はフォーマルで意味の少ない "specific words" です。日常会話では前者が好まれ、「英会話を勉強する」は、"learn spoken English" とも言われるぐらいです。しかし、明確さと重みが要求されるビジネスミーティングや裁判、公開討論会やアカデミックディスカッションなどでは、意味の限定された格式語（dignified words）を含む written English が好まれることが多々あります。高校や大学の英語教育ではこの使い分けを教えないため、話し言葉を使うべき所で、フォーマル度の高い書き言葉を使ってしまったり、その逆も真なりで、英語の「発信」を失敗させる原因になっています。

　フォーマル度に関しては、①文語（literary）②格式語（dignified）③一般標準　④口語（colloquial）⑤俗語（slang）⑥卑語（taboo）の 6 段階に分かれています。①「文語」とは文学作品などでよく使われる語彙のことで、例えば "redoubtable"（恐るべき）"forlorn"（孤独な）などで、日常の会話で使うと文章で使う堅い語なので浮いてしまいます。何らかの効果を狙って意図的に用いる場合もありますが、日常会話ではもちろんのこと、フォーマルな状況においても使い方要注意です。②「格式語」は public speaking やアカデミックなディスカッションや専門文献を含むフォーマルなライティングなどで用いられる語彙のことで、例えば①の "redoubtable" に相当する格式語は、②では "formidable, awesome, awe-inspiring" などです。また③の一般語にあたる "spread" なら格式語②では "disseminate, propagate" となります。こういった堅い語彙をプレゼンやディスカッションやライティングで使うと重みが出て知的な印象を与えます。次に④「口語」、⑤「俗語」ですが、前者は英英辞典では informal、英和辞典 Genius では（やや略式）、（略式）と記されているくだけた書き言葉・話し言葉、後者は slang（俗）と記されている非常にくだけ

た話し言葉のことです。これらもよくタイムなどで何らかの効果を狙って意図的に用いられる場合がありますが、使い方には気をつけなくてはなりません。最後⑥の卑語ですが、これは論外としましょう。

そこで、この章では英語を発信する上で極めて重要な頻度の高い3つの動詞「思う、言う、示す」の使い分けを、spoken と written の2点から学んでいただきましょう。

まずは**「思う・考える」**です。

1.「思う・考える」の使い分けマスター

Spoken English	Written English
feel, guess, suppose, think, believe, doubt, suspect, take, hope, wish, be afraid, gather, see, figure, realize, reckon, wonder, expect, imagine, find	**hold, assume,** presume, conceive, **speculate, infer, estimate,** surmise, project, conjecture, hypothesize, deduce, extrapolate, fathom, divine, theorize

左の方は、日常会話でよく使われる簡単な単語であることがわかります。そして、スピーキングの達人となるには、「思う・考える」で "think" ばかり使うのではなく、次のように自由自在に適確に使いこなせるようになりましょう。まず spoken English では次のように使い分けることができます。

[Spoken English]
☐勝つとは思わなかった→ I didn't **expect** to win the game.
☐計画は失敗すると思う→ I'm **afraid** the project will fail.
☐彼は医者ではないと思う→ I **doubt** he is a doctor.
☐彼女は犯罪人だと思う→ I **suspect** she is a criminal.
☐彼はほくそえんでいると思う→ I **imagine** him snickering to himself.
☐そんなに真剣に考えないで→ Don't **take** it so seriously.
☐やっぱりそんなことだと思った→ That's what I **figured.**
☐この薬は効くのかと思う→ I **wonder** if this medicine works.

☐ その映画はとても面白いと思う→ I **find** the movie very entertaining.
☐ 彼女に成功してほしいと思っている→ I **hope** she will make it.
☐ 彼は自分が絶対正しいと思っている→ He strongly **believes** he is right.

また、"think, say, show" のような plain で意味の多い "general words" に対して、ライティングやアカデミックディスカッションやプレゼンなどフォーマルな状況でのスピーキングでは、意味の限られた右に見られる "specific words" が好まれます。

[**Written English**]
まずは、覚えてほしい重要なものですが、次のものがあります。
☐ **hold**（ある考え、意見、感情が真実であると思う（堅い語））
　They **hold** that I am responsible for it.
　（彼らは私に責任があると思っている）
☐ **assume**（確たる証拠もないのに本当だと思い込む）
　We mustn't **assume** that the suspect is guilty.
　（その容疑者が有罪だと思い込んではいけない）
☐ **presume**（7〜8割の可能性でそうだと思う）
　From the way they talked I **presumed** them to be sisters.
　（話しぶりから察するに、彼女達は姉妹だろう）
☐ **speculate**（詳細については知らないで、原因や影響を考える）
　A spokesperson declined to **speculate** on the cause of the train crash.
　（スポークスパーソンは、列車事故の原因について推測するのは控えた）
☐ **infer**（既知の情報から、事実であると判断する）
　I **inferred** from her expression that she wanted to leave.
　（彼女の表情から、辞めたがっているのだと思った）
☐ **estimate**（価値・規模・速さ・価格などを計算と推測で判断する）
　They **estimated** that the journey would take at least two weeks.
　（その旅は少なくとも2週間かかると彼らは見積もった）

- [ ] **hypothesize**(証明はないが、様々な事実から可能な限りの説明・仮説を立てる)
  Scientists have **hypothesized** that dinosaurs were killed by a giant meteor.
  (恐竜は巨大隕石で滅亡したと科学者たちは仮定した)
- [ ] **conceive**(新しい考えやプランを思いつき、頭の中であれこれ思い描く)
  I can't **conceive** why anyone could behave so cruelly.
  (どうしてそんなに残酷なことができるのか、さっぱりわからない)
- [ ] **surmise**(既知の不十分な情報や知識から推測する)
  The police **surmised** that the robbers had fled the country.
  (強盗一味は既に国外逃亡した、と警察は読んだ)
- [ ] **project**(今ある情報から、数、規模、量、割合を予測する)
  Government spending is **projected** to rise by 3% next year.
  (政府支出は来年3％上がると予測されている)
- [ ] **conjecture**(不確かな情報・証拠で推測する)
  He **conjectured** that the company would soon be in financial difficulties.
  (会社は近いうちに財政危機に陥るだろうと、彼は予測した)
- [ ] **deduce**(周知の情報や証拠を熟考して結論を出す)
  The police have **deduced** that the suspect must have left his apartment yesterday.
  (容疑者は昨日アパートから逃げたのだろうと、警察は結論付けた)
- [ ] **extrapolate**(既知の事実に基づいて、将来起こりそうなことを推測する)
  It is unhelpful to **extrapolate** general trends from one case.
  (一つの事例から一般の傾向を推測しても、意味がない)

2.「言う・話す・しゃべる」の使い分けマスター

次に「言う・話す・しゃべる」にしても "**say, speak, tell**" だけでなく、約60語ある類語を、状況に応じて次のように使い分けます。

Spoken English	Written English
say, tell, speak, talk, call, mean, give, repeat, name, mention, go, ask, suggest, express, insist, spout（まくしたてる）, whisper, pronounce, add, chat, shout, yell, report, reveal, rap, make, break, get at, drive at	**discuss, state, imply,** allude, **claim, argue, maintain,** affirm, assert, **declare, announce,** allege, **describe,** voice, mouth, **refer,** relate, murmur, mutter, mumble, utter, represent, recite, articulate, pontificate, deliver, disclose, remark, address, rumor, convey, communicate, verbalize, converse, expatiate, enunciate, sound, vocalize, sermonize, deal with, treat

[Spoken English]

□彼はまじめにものを言っていない→ He is not **talking** seriously.

□食べ物をほおばってしゃべるな
　　→ Don't **speak** with your mouth full.

□彼は真実を言っていない→ He is not **telling** the truth.

□ほめ言葉のつもりで言ったんだ→ I **meant** it as a compliment.

□この絵の感想を言ってください
　　→ Pleae **give** me your impression of [opinion about] this picture.

□希望価格を言ってください→ Please **name** the price.

□ことわざが言っているように→ As the saying **goes,** ～

□この幸せは言葉では言えない→ I cannot **express** how happy I am.

□彼に部屋を掃除をしてくれと言った→ I **asked** him to clean the room.

□こんなものを夕食と言うのか！→ You can't **call** this dinner!

□馬鹿な冗談を言うな→ Don't **make** [say, break] a stupid joke.

□生徒たちに教室に入るように言った
　　→ She **called** the students into the classroom.

□ 人に言えるほどの趣味はありません → I have no hobby worth **mentioning.**

[Written English]
まず覚えてほしい重要な語は次のものです。

□ **discuss**（何かを決めたり意見を交すために話し合う）
The police wanted to **discuss** these recent racist attacks with the local people.
（警察は最近起った人種差別攻撃について地域の人と話し合いたかった）

□ **state**（意見・情報などを正式に、書面あるいは口頭ではっきりと伝える）
The government had to clearly **state** its policy on sending military personnel.
（政府は兵士派遣の方針について、明確に述べなければならなかった）

□ **imply**（考えや感情を、婉曲的に、もって回った言い方で伝える）
The salesperson only **implied** that the cars were safe.
（セールスパーソンは、それらの車が安全であるとほのめかしただけだった）

□ **claim**（証拠があるわけではないが、真実なのだと主張する）
The company **claims** that it is not responsible for the pollution in the river.
（会社は、その川の汚染に責任はないと言っている）

□ **argue**（明確な理由を述べて、考えや意見を述べる）
They **argued** that a dam might actually increase the risk of flooding.
（ダムを作れば洪水の可能性が増すと、彼らは論じた）

□ **maintain**（他人に反対されたり、疑われていても強く自分の考えを主張する）
Throughout his prison sentence Dunn has always **maintained** his innocence.
（刑務所にいる間も、ダンはいつも無実を主張した）

□ **declare**（正式かつ公式に発表する、明確に述べる）
The country **declared** independence in 1952.
（その国は1952年に独立宣言をした）

□ **announce**（公式に計画や物事の決定や状況を発表する）
The Prime Minister has **announced** that the government will increase its public spending next year.

(首相は来年度公共支出を増やすと発表した)
☐ **allege**（証拠を示さずに悪事や違法行為などを伝える）
The two men **alleged** that the police forced them to make false confessions.
(その2人の男は、警察がうその供述を強いたと言った)
☐ **voice**（ある事柄に関する意見や感情を述べる）
He **voiced** several objections to the plan.
(彼はそのプランに対して、いくつかの反対意見を述べた)
☐ **refer to**（書面や口頭で簡単に触れる）
In his speech, he **referred** to a recent trip to Canada.
(スピーチの中で、彼は最近カナダに旅行したことを話した)
☐ **communicate**（考えや感情を、はっきり相手が分かるように伝える）
They successfully **communicated** their knowledge to the members.
(彼らは自分たちが知っていることを、メンバーにうまく伝えた)

他にも書き言葉として次のものがあります。
☐ **allude to**（ほのめかす）
The parent **alluded** to a feeling that the teacher is to blame for the incident.
(その親は、事件の責任は教師にあると考えていることをほのめかした)
☐ **affirm**（確信をもって、公にはっきりと伝える）
The spokesperson **affirmed** that the company is to merge with A&B.
(スポークスパーソンは、その会社がA&B社と合併すると発表した)
☐ **assert**（確信し、力強く断固として事実や信念を言う）
The scientist **asserted** that nuclear power was a safe and eco-friendly energy source.
(その科学者は、原子力は安全で環境にやさしいと断言した)
☐ **describe**（詳しく述べる）
The paramedics **described** the scene as a battlefield.
(救急隊員たちは、戦場にたとえて現場の様子を詳しく伝えた)
☐ **mouth**（よく分かっていないことや思ってもいないことを口に出して言う）

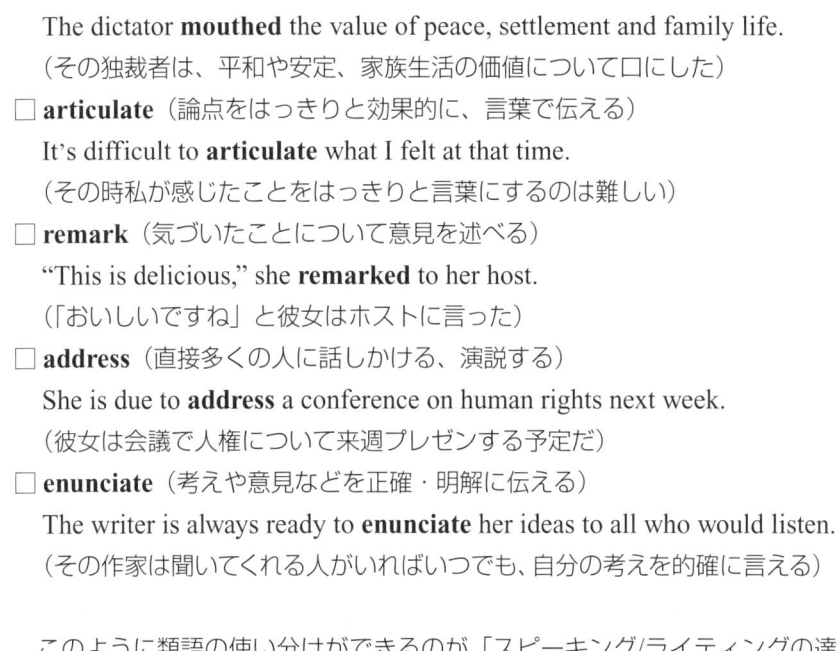

The dictator **mouthed** the value of peace, settlement and family life.
（その独裁者は、平和や安定、家族生活の価値について口にした）

☐ **articulate**（論点をはっきりと効果的に、言葉で伝える）
It's difficult to **articulate** what I felt at that time.
（その時私が感じたことをはっきりと言葉にするのは難しい）

☐ **remark**（気づいたことについて意見を述べる）
"This is delicious," she **remarked** to her host.
（「おいしいですね」と彼女はホストに言った）

☐ **address**（直接多くの人に話しかける、演説する）
She is due to **address** a conference on human rights next week.
（彼女は会議で人権について来週プレゼンする予定だ）

☐ **enunciate**（考えや意見などを正確・明解に伝える）
The writer is always ready to **enunciate** her ideas to all who would listen.
（その作家は聞いてくれる人がいればいつでも、自分の考えを的確に言える）

このように類語の使い分けができるのが「スピーキング/ライティングの達人」で、本当に英語のスピーキング［発信］が上手いというのは、状況に応じて spoken English、written English も使いこなせることなのです。最後に、アカデミックディスカッションやビジネスミーティングなどのフォーマルな状況で重要なのが「示す」を意味する類語の使い分けです。日常会話と違って "show（事実や情報を明らかにする）" ばかりではなく、次のような書き言葉を使い分けできるようになりましょう。

3.「示す」の使い分けマスター

まず覚えてほしい重要なものは次のものです。

☐ **prove**（事実・情報・証拠を出して証明する）

Although we have to **prove** that he committed the crime, we have no evidence to do so.
（彼が犯人だと証明しなければならないのに、証拠が何もない）

☐ **indicate**（6〜7割の精度で正しさを示す）

The survey results seem to **indicate** a connection between poverty and health.
（調査結果が示しているのは、貧困と健康状態の関連性だ）

☐ **reveal**（今まで隠されていた情報や秘密を明らかにする）

A survey of the diet has **revealed** that an increasing number of people are overweight.
（食事に関する調査で、太り過ぎの人が増えていることがわかった）

☐ **demonstrate**（事実や物事を明確に示したり証明する）

Scientific evidence clearly **demonstrates** that smoking is a health hazard.
（科学的証拠は、喫煙が健康を害すると明確に示している）

☐ **illustrate**（例を挙げて明らかにする、例証する）

This latest conflict further **illustrated** the weakness of the UN.
（先日の紛争は、また国連の弱点を示した）

☐ **exemplify / typify**（典型的な例を示す）

This area **exemplifies**〔**typifies**〕the ethnic diversity of our country.
（わが国にいろいろな民族が集まっていることは、この地域を見ればわかる）

☐ **reflect**（意見、感情、状況を反映する）

The drop in spending **reflects** the public concern about the economic future.
（支出の落ち込みを見れば、民衆が経済先行きに不安を感じていることがわかる）

☐ **suggest**（直接の言及や証拠もなく暗示する）

The recent research **suggests** that the drug may be beneficial to people with mental disorders.
（最新の調査によれば、その薬が精神を病む人に効くかもしれない）
- [ ] **showcase**（人の注意を引くように最高の状態で示す、展示する）
The main aim of the exhibition was to **showcase** the emerging designer.
（展覧会の主な目的は、その新出デザイナーをお披露目することだった）
- [ ] **display**（はっきりと分かるように示す）
The Japanese traditionally tend not to **display** much emotion in public.
（日本人は伝統的に人前であまり感情を見せない）
- [ ] **represent**（はっきりと分かるような例やサイン、シンボルなどで示す）
This treatment **represents** a significant advance in the field of medicine.
（この治療は、医療の大いなる飛躍を象徴している）
- [ ] **manifest**（はっきりと分かりやすく示す）
The workers chose to **manifest** their dissatisfaction in a series of strikes.
（労働者たちはストライキで、自分たちの不満を示すことにした）

その他にも次のようにたくさんあります。
- [ ] **confirm**（不確かであった考えや意見をはっきりさせる、確認する）
These new statistics have **confirmed** our worst fears about the depth of the recession.
（新しい統計で、不況の深刻さに関する我々の最悪の懸念が確実になった）
- [ ] **disclose**（情報や秘密を明らかにする）
The police have **disclosed** that two high-rankers are under internal investigation.
（その2名の高官を内部調査中であると、警察が発表した）
- [ ] **unveil**（計画や新商品などを紹介する）
The company **unveiled** the big-scaled projects for the new century.
（その会社は、新世紀に向けた大型プロジェクトを発表した）
- [ ] **signify**（はっきりとした分かりやすい例やサイン、シンボルなどで示す）
Please be careful ; "N/A" **signifies** that the products are not available.
（注意してほしいのは、「NA」とあるのはそれらの製品はもうない、とい

うことです）

☐ **designate**（記号・名前を使って具体的に示す）
On this map, road hazards are **designated** by yellow triangle-shaped signs.
（この地図では道路の危険物は、黄色の三角形で示してある）

☐ **exhibit**（気質、サイン、感情、能力、行動が他者にわかるように示す）
Some of the patients **exhibit** aggressive and violent behavior after the treatment.
（その治療後、患者には攻撃的・暴力的な行動を取る者もいる）

☐ **herald**（公表する、将来起こりそうな兆しを示す）
The president's speech **heralded** a new era in foreign policy.
（大統領のスピーチは外交政策における新時代を予告していた）

☐ **signal**（はっきりとした言葉や行動を示す、将来起こりそうな兆しを示す）
The melting of the ice on the lake **signals** the start of spring.
（湖の氷が溶け出すと、春の兆しだ）

☐ **testify to**（はっきりとした証拠で示す）
The empty shops in the street **testify** to the depth of the recession.
（町の店に客がいないのを見れば、不況の深刻さがわかる）

☐ **evidence**（証拠によって証明する、明示する）
The volcano is still active, as **evidenced** by the recent eruption.
（最近の爆発でも明確なように、あれは活火山だ）

☐ **register**（顔や声で、感情・意見をはっきりと示す）
The faces of the jury registered no emotion.
（陪審員の顔には感情が表われていなかった）

☐ **mark**（場所を示す、重要な変化や発展の転機となっていることを示す）
The book **marked** a change in direction for American literature.
（この本がアメリカ文学の方向性転換となった）

☐ **proclaim**（はっきりと示したり、はっきりした兆しとなる）
The house's drawn curtains and closed windows seemed to **proclaim** its emptiness.
（閉まっているカーテンや窓から察するに、この家は留守のようだ）

さて皆さんいかがでしたか。「示す」といっても、英語ではこのように非常にたくさんあるでしょう。それをワンパターンでいつも "show" ばかりを使うのは、日常の英会話ではいいかもしれませんが、前述のように意味の明確さと重みが要求されるビジネスミーティングや裁判や公開討論会やアカデミックディスカッションなどでは、意味の限定された格式語（dignified words）を含む、こういった written English の使い分けが重要なのです。それでは、次は斬れるアーギュメントをするための表現を紹介いたしましょう。

2 効果的なアーギュメントをするための表現集

斬れるアーギュメントをするためには、色々な表現がありますが、話を論理的に展開するためには、特に「因果関係」の表現や、「逆説」や「追加」などを表す、文と文をつなぐ表現（connectives）の知識と運用力が重要です。そこで、Part 2 のトレーニングでは、そういった接続表現を始めとして、アーギュメント力をぐーんと UP させるのに役に立つ表現集を紹介致しましょう。

1. 因果関係の接続表現をマスター

□ **accordingly,**（それゆえに、したがって）［当然のこと、予想したような結果を示す］
There aren't many jobs available. **Accordingly,** companies receive hundreds of resumes for every opening.
（就職口は少ない。それゆえに会社はどんな空きにも多数の履歴書を受け取る）

□ **consequently,**（その結果、したがって）［結果に対して妥当な根拠があることを示す］
They've increased the number of staff and **consequently** the service is better.
（スタッフを増やした結果、サービスが向上した）

□ **hence,**（それゆえに、したがって）［必然の結果を指す。非常に堅い表現で、学術、論文やプレゼンに用いられる］
The trade imbalance is likely to rise again in 1990. **Hence** a new set of policy will be required soon.
（1990 年にまた貿易不均衡が起り得る。したがって早急に新しい一連の方策が求められる）

□ **thus,**（このように、したがって）［言及した事柄の結果を示すが、「このように、次のように」などの意味を持つので因果関係は弱くなる］

The houses were used for soldiers. **Thus,** the structures survived the Civil War.
（これらの家屋は兵士が使ったので、南北戦争にも耐えた）

☐ **therefore,**（それゆえに、したがって）［先行するもの（前文）の必然の結果を指すが「結論」の方を強調する］
We were unable to get funding and **therefore** had to abandon the project.
（資金を得られなかったので、プロジェクトをあきらめざるを得なかった）

☐ **as a result**（その結果として）［先行するもの（前文）の「結果」として起こる］
Elizabeth is suffering a memory loss **as a result of** Alzheimer's disease.
（エリザベスはアルツハイマーの結果、記憶をなくしている）

☐ **so,**（それで）［先行するもの（今言ったこと）の「理由」を述べる口語的表現］
I got hungry, **so** I made a sandwich.
（空腹だったのでサンドイッチを作った）

☐ **thanks to 〜,**（〜のおかげで）［ある物事のおかげで起こる。皮肉を込めて不満や非難にも用いられる］
Thanks to the recent research, effective treatments have become available.
（最近の研究のおかげで、効果的な治療法がある）

☐ **owing to 〜,**（〜のために）［ある何らかの理由を導くために使われる改まった表現で、あまり用いられない。］
Owing to the rising cost of fuel, more people are using public transport.
（燃料のコスト高で、公共交通機関を使う人が増えている）

☐ **due to 〜,**（〜のために）［物事の結果として起こる。「直接の原因」を強調する］
Due to the rain, the match was cancelled.
（雨のため、試合はキャンセルとなった）

☐ **under the circumstances,**（この状況下では）［物事を言う前にある「まれな、難しい」状況を示す］
It's amazing that they did so well **under the circumstances.**

4 論理的スピーキング力 ワンランクUPの表現集！

（この状況下で、彼らがあんなに上手くやりおおせたのは驚きだ）
- **then,**（それゆえ、したがって）[前に関連した発言をつないだり、結論づけたりさまざまな意味を持つ]

  If you are ill, **then** you must stay in bed.
  （病気なら、寝ていなくては）
- **because**（なぜなら）[必然の避けがたい因果関係を強調]

  I got sick **because** I ate too much.
  （食べ過ぎて病気になった）
- **since**（～なので）[事実を前提としたり、すでに自明の理由を挙げる。because ほど必然的な因果関係は強調しない]

  Since it was a nice day, I decided to go to the beach.
  （天気がよかったので、ビーチに行くことにしたのだ）
- **as**（～なので）[理由を表す。フォーマルな語なので、改まった文脈で使う。]

  As we do not have much time left, let us continue.
  （（改まった席などで）時間があまりないので、続けましょう）
- **because of this,**（この理由で）[ある事柄やある人の行動の結果として、'because of Tom' のような使い方もできる]

  Because of the Asian crisis, the company's profits fell by 15% during 1997.
  （アジア危機のために、この会社の1997年の利益は15％下がった）

この他には次のものがあります。
- **for this reason,**（こう言った理由で、明確な理由を強調）
- **on the ground (s) that S+V**（SがVである（～する）という理由で）
- **for the above-mentioned [aforementioned] reasons**（上/前で言及した理由によって）

ちなみにこの「因果関係」を表す動詞表現も非常に重要なので挙げておきます。ニュアンスを知って使い分けできるようにマスターしましょう。

2. 「因果関係」を表す動詞表現をマスター　Part 1

- **cause**（悪いことを起こす。権威、力が影響を与えることを示す。結果とその元となるものの「因果関係」を強調する）
  Heavy traffic is **causing** delays on the freeway.
  （渋滞のせいで高速道路で遅れが生じている）
- **generate**（継続性を持って生じる。状況、行動、心的状態などの原因を意味する中立的な語）
  Technology by itself does not **generate** new ideas.
  （テクノロジー自体が新しいアイディアを生み出すわけではない）
- **produce**（ある特定の目に見える結果、効果をもたらす）
  Her remarks **produced** a breakthrough in the field of linguistics.
  （彼女の言葉が言語学の分野に突破口をもたらした）
- **bring about**（ある状況に「変化」をもたらす）
  The president's reckless spending **brought about** the collapse of his company.
  （社長が、みさかいなく金を使って会社をつぶした）
- **contribute to**［**toward**］（物事が起こる「一助」となる。悪いことにも使うので注意！）
  Smoking certainly **contributed to** his early death.
  （喫煙は、確かに彼の死を早めた）
- **lead to**（プロセスを経て何かを起こす。（ある結果、状態に）向かう）
  Ethnic tensions among the people in the region could **lead to** a civil war.
  （その地域で人々に生じた民族的緊張感は、内戦につながりかねない）
- **make for**（ある特定の結果を生み出したり、物事を可能にする）
  The latest-model computers will **make for** much greater productivity.
  （最新型コンピュータが、生産性をはるかに挙げてくれるだろう）
- **give rise to**（不愉快な、意外な事を起こす文語表現）
  Low levels of choline in the body can **give rise to** high blood-pressure.
  （体内のコリンが少ないと、高血圧を引き起こす）
- **trigger off**（悪い事を速く連続して起こす）

The assassination **triggered off** a wave of rioting.
（その暗殺事件が、一連の暴動を引き起こした）

☐ **pave the way for**（将来の出来事や進歩・発展を起こりやすくする）
The agreement will **pave the way for** restoring economic ties between the two countries.
（合意に達したことで、2国間の経済的な結びつきは修復されるだろう）

☐ **help**（物事がより簡単に、スムーズに起こりやすくする）
The $10,000 loan from the bank **helped** her (to) **start** her own business.
（1万ドルを銀行から借りたので、彼女は起業できた）

☐ **be instrumental in**（物事を起こすために、最も重要な役割を果たす）
She **was instrumental in** bringing about the prison reform act.
（彼女は、刑務所改革活動を引き起こした最重要人物だった）

☐ **conducive to**（物事が起こりやすい状況を作る）
Teachers need to create a classroom atmosphere that **is conducive to** learning.
（教師は勉強しやすいクラスのムード作りをする必要がある）

3. 「因果関係」を表す動詞表現をマスター　Part 2

- **arise from**（単純なものから複雑なものへと変わる因果関係を示す）
  The civil war **arising from** the social injustices has torn apart the country.
  （社会的不公平から起った内戦はその国を引き裂いた）
- **come from**（一般的な表現）
  Most of his problems **come from** expecting too much of people.
  （彼の問題のほとんどは、人に求めすぎることが原因だ）
- **result from**（先行するものの直接の結果、変化の最終結果）
  The arrest **resulted from** an anonymous telephone call.
  （匿名の電話がこの逮捕につながった）
- **derive from**（他から発展したり、派生したりして起こる）
  Their fear **derives from** the belief that the guru has supernatural powers.
  （グルが超能力を持っていると信じているから、彼らは怖がっているのだ）
- **originate from / in**（発生源がはっきりしている、変化の出発点を強調）
  The virus is a version of swine fever, which **originates in** pigs.
  （このウィルスはブタから発生するブタコレラ版だ）
- **stem from**（ある物事から始まり発展する）
  His problems **stem from** his difficult childhood.
  （彼が抱えている問題点は、大変だった子供時代に原因がある）
- **date back to**（ある特定の時期までさかのぼり、始まり、起こる）
  This church **dates back to** the 13th century.
  （この教会は 13 世紀にさかのぼる）
- **trace back to**（由来までさかのぼる）
  The success of the company can be **traced (back) to** good marketing.
  （この会社が成功したのは、行き届いた市場調査のおかげだとも言える）

4. 逆説表現の使い分けをマスター

次は逆説の表現ですが、まずは最初に英語の "but" には、大きく分けて次の6つの用法があります。

【But の6つの用法】

1. 前に述べたことと対照的なことを述べる場合（contrast）
   e.g. It's very expensive **but** very useful.（高いが役に立つ）
2. さらに情報を付け加える場合
   e.g. They believe in the ideology, **but** another point I'd like to make is......（彼らはこのイデオロギーを信じているが、私が言いたい別の点は…）
3. 会話で話題を変える場合
   e.g. **But** now to the main issue.（さて本題です）
4. 謝ったり言い訳をする場合
   e.g. I'm sorry, **but**......（申し訳ない、だが…）
5. 何らかのことをしない理由を述べる場合
   e.g. I want to go, **but** I'm too busy.（行きたいが忙しすぎる）
6. 驚き、強調などを表す場合
   e.g. **But** she is lovely!（それにしても彼女はかわいらしいね）

【主要な「逆説」の表現ニュアンス使い分け】

1. **yet**（but, however より対比の意が強い。「意外性」のある発言を導く、かなり改まった語）
   They charge incredibly high prices, **yet** customers keep coming back for more.（法外な値段にも関わらず、客はまた来る）
2. **but**（前の発言に対照する情報を付け加える）
   She's very hard-working **but** not very imaginative.（彼女はたいへん勤勉だが想像力はあまりない）
3. **still**（副詞として接続的に用いる。しかしながら）

Traffic was heavy, but we **still** made it to the movie on time.
（道が混んでいたが、映画の時間に間に合った）
4. **however**（but よりいくぶん強い意味を持ち、やや堅い語）
Some of the food crops failed. **However,** the cotton did quiet well.
（食用では不作もあった。だが綿の収穫は良かった。）
5. **nevertheless**（前に述べた事柄や事実との対照や、それらに影響を受けないことを強調して、「それにもかかわらず」。however より意味が強い。）
It's a difficult race. **Nevertheless,** thousands of runners participate every year.
（困難なレースだ。それにも関わらず、何千人ものランナーが毎年参加する。）

言葉の堅さ but < however < nevertheless < yet

　その他、発言を切り返したり、さらなる情報を付け加える逆説の表現には次のものがあります。

☐ **but on the other hand** / but on the other side of the coin（これに反して）
☐ **however / yet / still**（しかし）
☐ in spite of this / nevertheless / but even so（にもかかわらず）
☐ the other side of the coin is that 〜（見方を変えると〜である）
☐ **but at the same time**（しかし同時に）
☐ it is true that..., but 〜 / Indeed... , but 〜（なるほど…、だが〜である）
☐ **but the fact remains that 〜**（しかし実際は）
☐ **contrary to popular notions**（一般の認識に反して）
☐ contrary to appearances（見かけによらず）
☐ contrary to one's predictions（予測に反して）
☐ contrary to one's expectation（期待に反して）
☐ **otherwise / or else**（さもなければ）
☐ even so（たとえそうでも）/ instead（そのかわりに）
☐ despite / with all / for all 〜（〜にもかかわらず）

4 論理的スピーキング力 ワンランクUPの表現集！

- ☐ anyhow / at any rate（とにかく）/ anyway（ともかく）
- ☐ in any case（何が起ころうと、ともかく）
- ☐ on the contrary（まるで反対 / それどころか）
- ☐ **on the other hand（しかし、他方では）**
- ☐ **to the contrary（それどころか、にもかかわらず）**
- ☐ **regardless of / irrespective of（〜にもかかわらず）**
- ☐ **in the face of 〜（〜をものともせず）**
- ☐ in defiance ［the teeth］of 〜（〜をものともせず）

5. 追加の表現の使い分けをマスター

物事を理解してもらうために、さらなる詳しい情報を伝える必要があります。さらに情報を加える役割をするのが以下の表現となります。

- **by the same token** / similarly / likewise / in the same way［fashion］（同様に）
  e.g. I want to win, but **by the same token,** I don't want to hurt Sam's confidence.
  （負けたくないのと同じくらい、サムの自信も傷つけたくない）
- It is the same with 〜/ The same thing applies to 〜 / This is the same as in 〜（同じことが〜にも言える）
- **furthermore / moreover / in addition** / on top of that / what is more / besides（さらに）
- **specifically**（具体的に言うと）
- to make matters worse（さらに悪いことに）
- incidentally（ちなみに）
- again（ここでも）

【「追加」の表現ニュアンス使い分け】

furthermore	（次に述べる新しい情報に注意を引きながら、言い分を強める）
moreover	（前述したことに追加・サポートする。フォーマル）
in addition	（別の事実を加える）
on top of that	（さらなる問題があることを示す）
what is more	（議論や意見を裏付けたり強調する情報を加える）
besides	（理由を追加。インフォーマル）

6. 強調の表現の使い分けをマスター

　強調の表現は、重要なポイントを提示し発言にアクセントをつける働きをします。以下の表現を使えば、スピーキング、ディスカッションのポイントが明確になること間違いなしです。
　まずは、文と文をつなげる強調の表現を見ていただきましょう。

【「事実」を表す表現のニュアンス使い分け】

indeed	（情報を加え、話のポイントを強調したり、発展させる）
in effect	（完璧ではないが、妥当だと思う言い分に付け足す）
in fact	（前述とは異なることを言う場合に、注意を引く為にも使う。）
in reality	（物事の本質を伝える）
in actuality	（発言の正しさを強調づける非常に堅い語）

☐ **The point [thing] is ～/ The point I would like to make is ～**
　（私が言いたいのは）
　cf. The high point of ～ is ～（～の極めつけは～）

☐ undoubtedly（疑う余地なく）

☐ **patently**（明らかに、はっきりと）e.g. The marketing strategy has **patently** failed to work.（その市場戦略は明らかに失敗した）

☐ **arguably**（おそらく）e.g. The air in El Paso is **arguably** the dirtiest in Texas.（エルパソの空気はおそらくテキサスで最も汚れている）

☐ The name of the game is that ～（肝心なのは）

☐ The bottom line is that ～（要するに）

☐ **The fact is ～ / The truth (of the matter) is ～**（実は～）

☐ But the fact remains that ～（しかし実際は）

☐ **The problem is that ～**（困ったことは～）

☐ **The biggest concern is ～**（最大の関心は）

☐ **The crux of the matter is ～**（問題の核心は～）

☐ **Our top priority is ～**（最優先事項は～）

☐ The most important part of this argument is that ～（この議論のもっとも

重要な部分は〜）
- **The reality is 〜 / In fact [reality / actuality / effect] / As a matter of fact / Actually** （実際は）
- I must tell you（the fact）that 〜 / I would like to emphasize the fact 〜（強調したいのは）
- Believe it or not（まさかと思うでしょうが）
- **It is clear [obvious / apparent / evident / self-evident] that 〜/ Obviously / Clearly /Apparently**（明らかに〜である）
- There is no denying that 〜（〜は否定できない）
- It is important to note that 〜（〜は重要である）
- **Particularly / Especially**（特に）
- Certainly / Surely / Indeed / It is certain that 〜（確かに〜である）,
- **Most important (of all)**（最も重要なことは）,
- **Equally important**（劣らず重要なことは）,
- categorically（絶対に）/ Of course,（もちろん）
  e.g. The president categorically denied that he had had a relationship with the actress.
  （大統領はその女優との関係をきっぱりと否定した）
- **There is no question that 〜 / There is no doubt in one's mind that 〜 / Without doubt / Undoubtedly**（疑いもなく）
- There is no reason to think that 〜（〜と考える理由は見当たらない）
- **There is every reason to believe that 〜**（絶対に〜である）
- **There is no reason to believe that 〜**（絶対に〜ではない）
- It is undeniable that 〜/ There is no denying that 〜（〜は否定できない）
- I cannot emphasize too much 〜 / We cannot overemphasize the fact that 〜（〜をいくら強調してもし過ぎることはない）
- **It is no exaggeration to say that 〜**（誇張抜きに〜）
- It may be a slight exaggeration to say that 〜
  （〜と言うのはちょっと大げさだが）
- **to say nothing of 〜 / not to mention / let alone / needless to say**（〜は言うまでもなく）

【「〜は言うまでもなく」を表す4つの表現のニュアンスを知ろう！】

> Pollution affects the soil, **to say nothing of** its impact on wildlife.
> [さらに悪い情報を加える時に使われる]
> He's one of the kindest and most intelligent, **not to mention** handsome, men I know.
> [現在述べていることを強調する情報を加える]
> She can hardly walk, **let alone** run.
> [否定文によく用いられ、さらにありそうもない情報をつけ加える]
> **Needless to say,** the train was late.
> [あらかじめ予想される明らかなことを強調する]

7. 仮定の表現の使い分けをマスター

- **given the choice**（どちらかと言えば）
- **If I had to [were asked to] choose**（しいて選ぶなら）
- **as long as S + V**（〜である限りは）
- **once S + V**（一度〜になると）
- **judging from 〜**（〜から判断すると）
- **barring 〜**（〜がなければ）

　e.g. **Barring** any further delays, we should be able to start tomorrow.
（これ以上遅れなければ、明日には出発できるはずだ）

【「条件」の表現ニュアンス使い分け】

Supposing [Suppose] that 〜（もし〜だったら）
［可能な状況を判断したりその結果を想像する］
Providing [Provided] that 〜（もし〜ならば、〜という条件付きで）
［if より強意。Provided は only if に近く、Providing より好んで使われる。］
［ある物事が起こることを条件として使われる］
Granting [Granted] that 〜（仮に〜としても）
［仮に物事が起こることを認めて仮定する］
Given that 〜（〜を仮定すれば、〜であるとすれば）
［物事の事実や状況を冷静に受けとめる］
Considering that 〜（〜を考慮すると）
［状況を考慮に入れて取るべき行動について判断や意見を下す］

8. 比較・対照に関する表現をマスター

アーギュメント、ディスカッションには物事の比較対照がつきものです。比べることによって皆さんの言いたいことがはっきりと分かるようになります。

- ☐ **(When, As) compared with ～**（～と比べて）
- ☐ **unlike ～**（～と違って）e.g. Unlike before（以前と違って）
- ☐ In (sharp) contrast to ～, As opposed to ～（～とは（全く）対照的に）
- ☐ **apart from ～**（～はさておき）
   e.g. **Apart from** a couple of spelling mistakes, this looks fine.
   （数個のスペルミスを別にすれば、これは申し分がない）
- ☐ joking apart（冗談はさておき）e.g. Joking apart, you did a really nice job today.（冗談はさておき、今日君は本当によくやった）
- ☐ by any standard（どの基準に照らしても）
   e.g. The building was still magnificent **by any standards.**
   （この建物はいかなる基準に照らしてもいまだにすばらしい）
- ☐ **on one hand S + V, but on the other hand S + V**（一方では～だが他方では～だ）
- ☐ A is different from [similar to] B in that ～
   （AはBと～の点で異なる[似ている]）
- ☐ **by comparison**（比較すると）
- ☐ **by (in) contrast**（対照的に、比較して）
   e.g. The technology sector is doing badly. Old economy stocks, **by contrast,** are performing well again.
   （テクノロジー分野は悪いが、対照的に旧経済株はいい調子だ）
- ☐ **At the one end of the spectrum ～. But at the other end of spectrum ～.**
   （片や～であるが、その対極にあるのは）
- ☐ The analysis is different from A in that B.
   （その分析はBという点でAと異なっている）
- ☐ There are many similarities between X and Y.
   （XとYの間には多くの類似点がある）
- ☐ in other circumstances（別の状況においては）

9. 意見・感想の表現をマスター

- **I think it is safe to say that ～**（～と言っても過言ではない）
- It is legitimate to say that ～（～と言うのは妥当である）
- It is appropriate to（～することは適切である）
- **It is reasonable to think［suppose］that ～**
  （～と考えるのはもっともである）
- It may be more accurate to say that ～（～と言った方が正確だろう）
- to put it in an extreme way, / **The extreme argument of this is that ～**
  （極論すると）
- on careful thought（よく考えれば）/ on second thought（考え直してみると）
- come to think of it（考えてみると）
- **interestingly**（面白いことに）/ strangely (enough)（不思議なことに），
- **surprisingly**（驚いたことに）/ **ironically / It is ironic［ironical］that**
  （皮肉なことに）
- **It is regrettable［a pity, shame］that ～**（～は残念である）
- **It is interesting to note that ～**（面白いことに）
- It is desirable［undesirable］that ～（～は望ましい［～は望ましくない］）
- **fortunately［unfortunately］**（幸運なことに［不運なことに］）
- The primary consideration should be ～（主に考慮すべきことは～）
- **The advantages of ～ outweigh the disadvantages.**
  （～の長所は短所に勝る）
- There is still an element of doubt about ～
  （～に対しては今も疑問の要素がある）
- There is some truth in what ～ is trying to say.
  （～の言うことにも一理があります）
- That S + V is groundless.（～には根拠がありません）
- **I'm neither for nor against the ideas of ～.**（どちらかの考えに賛成、反対というわけではありません）［中立の立場から切り返す表現］
- **Yes and No. Yes（No）, in the sense that ～**
  （どちらとも言えませんが、～の意味においては賛成（反対）です。）

- [ ] We must consider all the pros and cons of 〜.
  (我々は〜に対するすべての賛否両論［長所短所］を考慮しなければならない)
- [ ] All things considered, I think it is possible to 〜.
  (すべてを考慮すると、私は〜するのは可能であると思う)
- [ ] **admittedly**（明らかに、はっきりと）e.g. Admittedly, I could have tried harder but I still don't think all this criticism is fair.
  (明らかに、私はもっと頑張れた。でもやはり、こんなに責められるのは不公平だ)

この他にも、非常にアーギュメントに役立つ表現を挙げておきます。

《必然性の表現》

必然性の表現を用いることで、自分の意志の強さを示したり相手に強く働きかけることができます。

- [ ] **Inevitably / It is inevitable that** 〜（必然的に）
- [ ] (Whether you) like it or not（泣いても笑っても）
- [ ] No matter what (may) happens / Come what may（何が起ころうとも）
- [ ] No matter what it takes（どうしてでも）
- [ ] **It is natural [no wonder, not surprising] that 〜 / Naturally,**
  (〜は当然だ、当然ながら)
- [ ] **It is necessary [imperative] that 〜**
  (〜の必要がある（〜の絶対の必要がある)
- [ ] It is a prerequisite for（〜は必要不可欠である）

【「〜は当然だ、当然ながら」の表現ニュアンス使い分け】

> **It is natural that**（当然予想される）
> **It is no wonder that**（It is natural that より口語的）
> **It is not surprising that**（驚きを感じることがない）
> **Naturally**（多くの人が予想・理解できるほど、当然で何も驚く点はない）

《自分について述べる表現》
- **As far as I'm concerned,** For my part, As for me, Speaking for myself, Personally（私としては）
- As far as I know（私の知る限りでは）
- **In my opinion ［experience, observation］**
  （私の考え［経験、観察］では）

【「私としては」の表現ニュアンス使い分け】

> **As far as I'm concerned**（他人とは違うかもしれないが、強く自分の意見を述べる。話し言葉）
> **For my part**（自分の意見を紹介したり、他人の意見など比較したりする時に使われる）
> **As for me**（前の話題に関連して自分の意見を述べる）
> **Speaking for myself**（自分のみに当てはまる意見を述べる。話し言葉）
> **Personally**（自分の意見の特異性を強調している。話し言葉）

- **From the economic ［ethical, global, philosophical, historical, etc.］ point of view**（経済的［世界的，哲学的，歴史的］に観れば），
- To put it into a historical perspective（歴史的に観ると）
  cf. This issue should be put into perspective.
  （この問題はあらゆる角度から検討せねばならない）
- In light ［view］ of the situation, **Considering ［given］ the situations**
  （この状況を考慮すれば）
- Based on the analysis ［data, evidence］
  （この分析（データ、証拠）に基づいて）
- **When it comes to 〜,** As for 〜, As to 〜, As far as 〜 is concerned
  （〜に関しては）
- **In terms of 〜**（〜の点においては）
- **In (the sense) that 〜,** in terms of the fact that 〜（〜という点では）

【「この状況を考慮すれば」の表現ニュアンス使い分け】

> In ［the］light of the situation
> ［ある特定の事実を考慮する］
> In view of the situation
> ［物事の決定や行動や状況の理由を強調する堅い語］
> Given the situations
> ［物事を考慮した際に、そう驚くべきことでない時に使われる］

《場合・状況に関する表現》……………………………………………………
- **In this case**（この場合）/ In the case of ～（～の場合）
- **Under the circumstances**（こういった状況の中で）
- **Depending on the situation ［mood］ I'm in ～**
  （状況に応じて／気分によって）
- In this connection（これと関連して）
- In this instance（この例において）
- ～ is no exception（～は例外ではない）
- **In any case**（いずれにしても）
- At any rate（とにかく）
- **At this rate**（この調子では）
- In line with ～（～に沿って）

【「場合・状況」の表現ニュアンス使い分け】

> in this connection,（これと関連して）
> （すぐ前の発言と関連した話の内容を伝える）
> In any case（いずれにしても）
> （確信がないことを述べた後、これだけは事実だと次の文を強調する）
> at any rate（とにかく）
> （今から言うことが重要だと強調したり、不確かな状況の中で明確な事実を述べる）

at this rate（この調子では）
（物事が現状と同じように続くことを仮定して話す）

《推量に関する表現》
- **It is a matter of time before S + V**（〜は時間の問題である）
  cf. It's a matter of taste [preference, degree, opinion, principle]
  probably（80%ぐらい）, presumably（70~80%）, perhaps（50%ぐらい）, arguably（おそらく＝40~50%）, possibly（20−30%）
- **It is (highly) likely [unlikely] that 〜**
  （おそらく〜であろう [〜ではないだろう]）．
- **There is a strong possibility that 〜**（〜の可能性は高い）
- **There is no guarantee that 〜**（〜しないとも限らない）
- **There is a long way to go before 〜**（〜にはほど遠い）
- **〜 is a remote possibility**（〜には程遠い）

《例を挙げる表現》
- **Take 〜 for example, for example, for instance**（例えば）
- **A typical example of X is Y**（Xの典型的な例はYである）
- **〜 is a case in point**（〜はまさにその例である）
- **To take a hypothetical example,**（仮定の例を考えると）
- **A vivid example of this is that 〜**（この生き生きとした例は〜）

【「例えば」の表現ニュアンス使い分け】

for example（話者の意図する情報や物事の正しさを示したり、強調する際に使われる）
It's extremely expensive to live in New York. **For example,** I pay $1250 for a one-bedroom apartment.
（NYに住むのはとても費用がかかる。例えば、寝室が1つしかないアパートに1250ドルも家賃を払っている）
for instance（特定の出来事や状況や人を示す）

Old English was in many ways similar to Modern German. **For instance,** the nouns, adjectives, and verbs were highly inflected.
（古い英語は、多くの点で現代のドイツ語と似ている。例えば形容詞や動詞がよく語形変化した点など）

《正直に、率直にを述べる表現》
- ☐ I must confess（the fact）that ～（正直に言うと）
- ☐ **To tell（you）the truth** ～（実を言うと）
- ☐ Frankly speaking / To be frank with you / To be candid（率直に言うと）
- ☐ Honestly speaking（正直に言うと）

【「率直に、正直に言う」の表現ニュアンス使い分け】

To tell（you）the truth（正直に言うと）
[物事を認めたり、包み隠さずオープンに個人的意見を伝える]
Frankly speaking（率直に言うと）
[相手が多少不愉快になっても正直に意見を述べる]
To be candid（率直に言うと）
[痛ましい事や、相手をまごつかせる不愉快な真実をダイレクトに言う]
Honestly speaking（正直に言うと）
[真実を伝え、相手を信じさせるように強調する]

《定義に関する表現》
- ☐ This is what ～ is all about.（～とはそういうものである）
- ☐ It is defined as ～（～と定義されている）
- ☐ By definition（定義上）

《分類に関する表現》
- ☐ **X ～ is divided / classified / categorized / grouped into Y types [categories]** / X fall into Y categories [types]（X は Y の部類に分かれる）
- ☐ ～ is [go] as follows（～は次の通りである）

- ☐ Firstly [First, In the first place, To begin with, First of all] 〜, Secondly 〜, Finally などで具体的な説明が続く。
- ☐ **Last but not least**（最後に述べるが大事なことは）
- ☐ A is polarized into either A or B（A は B と C に二極分化される）
- ☐ 〜 range from A to B（〜は A から B まである）
- ☐ A is rated as B on a scale of one to ten（A は 10 段階評価で B である）
- ☐ For one thing S + V, and then S + V
  （一つには〜ということと、そして次には〜という点である）

《一般論・一般認識に関する表現》
- ☐ **The standard practice is that** 〜（〜と相場は決まっている）
- ☐ **〜 is the norm [rule]**（〜が常識である）
- ☐ 〜 is the order of the day（〜が世の常である）
- ☐ Little is known about（についてはほとんどわかっていない）
- ☐ 〜 is [are] widely practiced and causes little controversy.
  （〜は今日ほとんど議論を呼ぶことなく、広まっている）
- ☐ Even today the situation is such that 〜（今でも〜というのが現実だ）
- ☐ Things have come to the point where 〜（最近は〜になった）
- ☐ We are now in the age when 〜（〜という時代を迎えている）
- ☐ That's how it has always been.（昔からそう決まっている）
- ☐ 〜 is nothing new, 〜 [is still the case in]
  （〜は今でもそうである）
- ☐ **Conventional wisdom holds that** 〜（古くからの常識では）
- ☐ **It is no longer the case with** 〜（〜はもはやそうではない）
- ☐ This is a pattern commonly found among 〜
  （これが〜に多いパターンである）

《つなぎの表現「譲歩」》
- ☐ even then（それはそうであるが）
- ☐ for all that（それにもかかわらず、それはそうであるが）
- ☐ but then（確かにそうだが、だからといって）

☐ to be sure（なるほどそうではあるが、いかにもそうだが）

《記憶・回想に関する表現》

☐ **If I remember correctly [right]** / If my memory serves me correctly（私の記憶が正しければ）

☐ **In retrospect**（振り返って考えてみると）
　　e.g. In retrospect, we should never have allowed that to happen.
　　（振り返ってみれば、あんなことはあってはならないことだったのだ）

《言い換え表現》

☐ In other words / Put it another way（言い換えると）

☐ that is / that is to say / namely（すなわち）
　　In more technical terms, 〜
　　（（技術・専門的側面から）もうちょっと厳密な意味で〜である）

【「言い換え」の表現ニュアンス使い分け】

> **In other words**（言い換えると）
> ［先に述べた発言の簡単な、違った説明や表現、解釈をする］
> **Put it another way**（言い換えると）
> ［理解しやすいように分かりやすく別の表現で説明する］
> **That is (to say)**（すなわち）
> ［発言を正したり、より詳しく正確な情報を伝える］
> **Namely**（すなわち）
> ［更なる情報を伝え物事を正確にはっきりと伝える］

《要約の表現》

☐ To put it simply [briefly] / To make a long story short（簡単に言うと）

☐ In short [brief]（一言で言えば、極端に言うと）

☐ To sum up / In sum（要約すると）/ **In conclusion**（結論として）

- [ ] As noted before earlier（これまで述べてきたように）
- [ ] **basically** / fundamentally / essentially（基本的に、本質的に）
- [ ] **I have come to the conclusion that 〜**（〜という結論に達した）
- [ ] It follows from this that 〜（このことから導かれることは〜）
- [ ] Finally（結論的に言う）/ lastly（最後に）
- [ ] Last, but not least（最後だからといって重要でないということでなく）

【「概して言えば」の表現ニュアンス使い分け】

all in all（あらゆる点、個々の状況を考え合わせて、結論として要約や概論を導く話し言葉）
All in all, I think it has been a very successful conference.
（まあ、会議は大成功だったと思う。）
on the whole（全体像を見渡して、見解や要約を述べる）
On the whole, she felt that the report was fair.
（全体的に彼女はそのレポートが正しいと思った。）
by and large（ある事柄を全体的に捉えて言及する）
There are a few small things that I don't like about my job, but **by and large** it's very enjoyable.
（仕事でちょっと嫌いなことはあるけれど、まあ楽しんでいる。）
generally speaking（詳細を無視してサマリーを述べる。）
Generally speaking, older people are less able to speak up for their rights.（一般的に言って、年配者は声高に自分の権利を主張しない。）
roughly speaking（正確ではないがおおよそは正しい情報を伝える）
There are, **roughly speaking,** three possible solutions to our problem.
（大ざっぱに言うと、3つの問題解決法がある。）
as a rule（よく当てはまるケースを述べる）
She comes home at about six **as a rule.**
（彼女はたいてい6時ごろ家に帰ってくる。）
overall（あるグループや状況の中のすべての人や物を含めて）
Overall, the party was a success.
（全般的に、パーティーは成功であった。）

《時に関する表現》 ....

- [ ] in the course of 〜 ing (〜しているうちに)
- [ ] **in the process** (そのうち、その過程で)
- [ ] **in the meantime / meanwhile** (その間に、〜方では)
- [ ] **eventually /sooner or later** (最終的に)
- [ ] as the time goes by / in the course of time (やがて)
- [ ] at the moment (現時点では)
- [ ] after a while (しばらくして)
- [ ] nowadays / recently / these days / lately / in this day and age (今日では)
- [ ] **in the past** (かつては / At present (目下は) / **in the future** (将来は)
- [ ] **for the present / for the time being** (さしあたり)
- [ ] since then / ever since (それ以来)
- [ ] temporarily / tentatively (一時的に)
- [ ] gradually / by degrees (徐々に)
- [ ] for the moment (現在のところ、目下のところ)
- [ ] at this moment in time (現時点では)
- [ ] as we go along, (やりながら、しながら)
- [ ] at this stage (現段階では)

【時を表す「今日では」の表現ニュアンス使い分け】

> **nowadays** (過去と対比させる。通例現在時制で用いる、)
> **recently** (近い現代の過去、昨日、今日などに用いられる)
> **these days** (nowadays よりくだけた言い方)
> **lately** (現在時まで続く最近を指す)
> **in this day and age** (以前と比べて現在は)

《その他の表現》

- **This stems from the fact that 〜.**（これは〜というところから来ている）
- **against the backdrop**（この背景には）
- Underlying the words X is Y.（X という言葉の背景には Y がある）
- It is my（fervent）prayer that 〜. / My firm belief is that 〜.
  （〜と固く信じてます）
- I truly pray from the bottom of my heart that 〜./ My sincere hope is that 〜.
  （〜は心からの願いです）
- Little is known about 〜.（についてはほとんどわかっていない）
- **It is high time that 〜.** / The time is ripe for 〜 to V. / **Now is the time for 〜 to V.**（今こそ〜する時だ）
- Based on our analysis, 〜（分析に基づくと、〜）
- a more credible hypothesis is 〜（より信頼できる仮説は〜）
- to the extent that S+V（〜の範囲まで〜である）

　さて皆さんいかがでしたか。ためになったでしょうか。こういった表現をプレゼンやディスカッションなどでどんどん使って、わかりやすくて説得力のあるアーギュメントをしましょう。

　それでは、次の章は待望の分野別アーギュメント実践トレーニングです。張り切ってまいりましょう。

**　　　　Let's enjoy the process!（陽は必ず昇る！）**

第 5 章

ワンランク UP アーギュメント
実践トレーニング

1 ビジネスのトピックの Argument 実践トレーニング

> ビジネス・経済関係のトピックに強くなる！
> **Should the mandatory retirement system be abolished？**
> 定年退職制は廃止すべきか？

雇用制の推移

第2次世界大戦が終わり、1990年代バブル経済崩壊後（**after the collapse of the bubble economy**）、企業でリストラ（**business restructuring**）や合理化［削減］（**downsizing**）が頻繁に行われるようになるまでの約50年間、日本では終身雇用制（**lifetime employment system**）が長い間慣行となっていました。

この終身雇用制度は雇用側からすれば ①社員教育の効率がいい（**efficient education of employees**）②社員からの忠誠心（**employees' loyalty to their companies**）を得られるなどのメリットがあり、社員からすれば仕事を保証（**guarantee job security**）してくれ、定年退職年齢（**the mandatory retirement age**）まで勤めることができるので、人生設計もしやすかったわけです。

終身雇用が生み出した定年制

終身雇用制度は戦後の日本経済を安定させるのに大きく役立ったわけで、①年功序列制（**seniority system**）②定年退職制（**mandatory retirement system**）は、まさに終身雇用制の副産物でした。ところが長引く不況（**prolonged recession**）や社会経済が成熟（**economic maturity**）するにつれ、日本でももはや終身雇用一辺倒ではなくなり、リストラ（**restructuring**）に伴う一方的解雇（**arbitrary layoff**）も珍しいものではなくなりました。し

かしこのような状況でも、いまだに90%以上の大企業や教員、警察官を含む公務員（**civil servants**）では60歳定年退職が通常になっています。一方、私立病院の医者（**doctors in private practice**）、lawyers、artists、writers、自営業者（**the self-employed**）、政治家などにとって定年制は関係のない話であることはいうまでもありません。

高齢化社会に伴う定年制

　終身雇用制度崩壊の他に、人の寿命の伸び（**increase in average life expectancy**）も定年制度に影響を与えています。最近ではほとんどの人が仕事を辞めた後、何らかの活動（**paid or unpaid work**）に従事して余生を過ごそうと考えています。そういった状況の中で、今までは平均的な定年退職の年齢（**the average age of retirement**）は65歳でしたが、今では60歳や55歳で辞める人もいれば、70歳や80歳でも現役の人も多く、事実上、定年退職制はその意義を失いつつあります。

定年退職後の懸念事項は？

　今日、人々は退職後も数十年生きるので、退職後には次のような懸念事項があります。
①どれくらいの収入があれば十分やっていけるか
　（**how much income is necessary**）
②住む所（**where to live**）
③いかに時間を使うか（**how to live a life after retirement**）
④さらに働くかどうか（**whether to work after retirement**）

定年退職は始まりか終わりか!?

　当然、人によって退職後の人生の受け止め方は違い、今までできなかった事ができる、待ちに待った時（**the long-awaited period of life**）と思う人もあれば、大きな失望のもと（**a big letdown**）と思う人もいます。特に仕事一筋

だった人（dedicated workers）は落ち込む場合が多いようで、退職前から仕事以外に趣味・関心ごとを広げる（have some pursuits）ようにしてきた人は、新しい生活をエンジョイしやすいようです。いずれにしても高齢化の現代、退職前に、退職後の人生プランを練っておく（make a plan for life after retirement）ことが必要でしょう。

それでは、次はこの「定年退職制は廃止すべきか？」というトピックについてのディスカッション実践トレーニングを行います。ここでは定年退職制の有効性について賛成派と反対派に分かれて、意見を闘わせてみましょう。皆さんは、それぞれの主張を critique（いい点と悪い点を判断する）し、その後その反論を自分で考えてみてください。

定年退職制度に賛成派の意見

Q. 賛成派がその理由を話していますが、どう反論しますか？

> **I am for the mandatory retirement system for the following two reasons.**

> Firstly, **it is an efficient way to run a company.** Most workers over 65 years old tend to become less and less competent, and reliable as the effects of old age set in. The mandatory retirement system allows those with declining abilities to stop working and can thus maintain a high level of job performance.
> Secondly, **it will give more job opportunities to young people.** Especially under the prolonged recession in Japan, about 10 % of people aged 15 to 24 are jobless and about 6 % of people aged 25 to 34 are unemployed, followed by 4.7% of people aged 35 through 44. The mandatory retirement system will provide those who support their families with more job opportunities. （120 語— 48 秒）

> **Words & phrases**
> ☐ accurate 正確な　☐ set in = start　☐ prolonged recession 長引く不況

> **賛成派の主張**

①会社を効率よく経営する方法である。65歳以上の労働者の多くは、年齢の影響で能力や信頼性が徐々に低下する。定年退職制によって、能力が衰えている労働者を辞めさせることで、高い生産性を維持できる。

②若者に仕事の機会を与える。長引く不況下日本では15〜24歳の10%、25〜34歳は6%、35〜44歳は4.7%が失業している。定年制は家族を支えている可能性が高いこの年代層に仕事のチャンスを与える。

賛成派に反論してみよう！

　まずこの主張をcritiqueしてみましょう。どうですか。1番目の理由とそのサポートはOKですが、2つ目のものは、問題があります。というのはポイントが「若者に仕事の機会を与える」となっているのに、家族を養う年代層に仕事の機会を与えるというサポートをしているからです。そこで次のように変える必要があります。Secondly, **it will give more job opportunities to job-seeking young and middle-aged people.** Under the prolonged recession in Japan, about 10 % of people aged 15 to 24 are jobless and about 6 % of people aged 25 to 34 are unemployed, followed by 4.7% of people aged 35 through 44. The mandatory retirement system will give job opportunities not only to energetic young people but also to middle-aged people who have to support their families, decreasing the unemployment rate. さて、これに対してあなたならどう反論するでしょう。考えてみてください。

　どう反論するか決まりましたか？

> 賛成派 1-1. 会社を効率よく経営する方法である。

　ここで賛成派は、年齢が進むと能力が衰えるので、定年制によって会社が一定の基準を保てることを挙げています。この意見に反対するには定年制が「効率よくない」点を挙げなくてはいけません。

> 反論 1-1. 効率よく経営する方法どころか、**会社にとっては長年働いてきた人たちの豊かな経験や能力を失う**という損失になる。同じだけの専門知識・技術を持つものを育てようとすれば、また最初から若い人を教育しなくてはならない。
>
> It is far from an efficient way of management, **costing companies a wealth of experience that elderly workers have accumulated.** In order to train young people to do the same level of work that elderly workforce can do, companies have to start from scratch in job training.

　賛成派は、ここで確かに 60 過ぎようが 70 過ぎようが、元気な高齢者が多い昨今に思いをはせるでしょう。確かに元気で能力が衰えていない人もいます、と認めてしまうのは通訳ガイドなどの面接試験では OK ですが、たとえ同意していても 100% 譲ってしまってはだめで、反論を認めた上で、次のように反論しましょう。

> 賛成派 1-2. **定年制は、能力が著しく低下した労働者が辞めるためのセーフティーネットになる。**定年制は職場でのミスや事故を防ぐために効果的である。
>
> **The mandatory retirement system provides a safety net for workers who want to retire because of their sharply declined abilities.** It is effective in preventing job-related accidents caused by aging.

　さらにこれに対して反論するなら、「一概に 60 歳や 65 歳という数値だけで、

個人の能力の限界まで決めつけてしまうことに無理がある」ことをあげましょう。例えば裁判官や医師などは経験を積まなくてはならない分野ですし、60を過ぎようが70を過ぎようが、立派な仕事をしている人は大勢います。十把一絡げに年齢だけでくくってしまうのは、age discrimination（年齢差別）であるなどと言ってどんどん発展させることが可能です。

では、次に賛成派の二つ目の意見を見ましょう。

> 賛成派 2-1. **若者により多くの仕事の機会を与える。**

統計数値などをあげて、説得にかかってきましたよ。実際、現在日本では若い人たちが定職につかない「フリーター」、またフリーターをしながら、親と住んで面倒を見てもらう「パラサイトシングル」（parasite single）である状態なども問題になっています。しかし、この数字を使ったアーギュメントには、弱点があります。それさえわかれば容易に反論できるはずです。

反対派 2-1. **定年制があっても若い人が就職しないことには変わりない。**
こうした失業率は、現在90％以上の企業と公務員が定年制である日本での話だから、残り10％程の会社が定年制を入れたところで、若者の失業率が改善されるわけではない。

Young people are unwilling to have a regular job whether there is a retirement system or not. Those unemployment rates you've just mentioned are the current figures of Japan where 90 % of companies and governments already keep the mandatory retirement system. Even if the remaining 10% of the companies adopt the mandatory retirement system, it will not make a difference in the jobless rates of young Japanese people.

うっと痛い所をつかれて困ってしまいましたが、それにも負けず何とか苦しいながらも反論すると、次のようになります。

> 賛成派 2-2. 若者達がつきたがってる仕事は、実は芸術や音楽、演劇、作家などである。**年配の人たちが活躍している定年制のない分野**なので、若者達が入って行きにくい状況になっている。この分野を定年制にすれば、若者が参入できる可能性はぐーんと増える。

> Many young people want to get into **art-related businesses with no mandatory retirement system** where seasoned musicians, actors and writers continue to work way past the normal retirement age. Their prolonged presence prevents young people from getting into the fields. But the mandatory retirement system will open up career opportunities for young talents.

確かにこういった分野では、年配の人たちが大活躍しているので有効かも知れません。しかし、反対派としては、musician、writer、actor といった仕事は、年季が必要であり、成功するのに時間がかかるし、年齢に関係なく才能ある人はいつまでも活躍のチャンスを与えるべきであり、それこそ十把一絡げにしてしまうのは、大きな損失であるし、おまけに、若い人にもチャンスがいくらでも与えられていることも付け足せばいいわけです。

それから反対派は、日本における少子化（decreasing birth rates）と共に進んでいる、高齢化の中で予想される労働力の不足（prospective labor shortage）といった社会状況の下では、元気でかくしゃくたる（spry）高齢者に早々に隠居してもらうのではなく、その尊い労働力を提供してもらう方が社会の利益になることも、強い理由として持っておきましょう。

それでは最後に反対派のアーギュメントを述べておきましょう。

反対派の意見

> I am against the mandatory retirement system for the following two reasons.

Firstly, **it will waste the expertise of elderly workforce.** The elderly people have made great efforts to accumulate knowledge and experience. But the mandatory retirement system forces skilled elderly people to quit their work not because of the decline in their health or abilities, but because of a certain age limitation. This means a huge loss to business entities and eventually to the society as a whole.

Secondly, **it will cause age discrimination.** Although people in advanced age have different abilities, the mandatory retirement system lumps them together and compels people to leave their jobs just because they have reached a certain age. This system makes people associate the age of 60 or 65 with uselessness and the end of one's career, resulting in age discrimination.（136 語― 54 秒）

Words & phrases

- **age discrimination** 年齢差別
- **compel 人 to do ～** 人に無理やり～させる
- **expertise** 専門知識［技術］

反対派の意見

①高齢労働者の**専門性を無駄にしてしまう**。定年退職制の場合、高齢者は多大な努力をして身につけた専門技術・知識を能力や体力の衰えが原因ではなく、ある一定の年齢に達したからという理由だけで、専門性を要する仕事を辞めなくてはならず、会社にとってもひいては社会全体にとっても大変な損失になる。

②**年齢差別を生み出す**。様々な能力を持ち合わせている高齢者を、定年退職制は一定の年齢であるという理由だけで十把一絡げにして、強制的に退職させてしまう。こういった制度の下では、60 や 65 という年齢は役立たずでキャリアの終わりというイメージとつながり、年齢差別を生み出す。

「定年制」について何でも話せる語彙・表現力 UP トレーニング

★ ワンランク UP 表現

① **定年制**によって高い労働生産性を維持することができ、それは企業に競争力を与える。

① The **mandatory retirement system** can maintain a high level of job performance.

② 若者を**熟練した**高齢労働者と同じレベルにするために、会社は**ゼロから**職業訓練を行わなければならない。

② In order to train young people to do the same level of work that elderly workforce **with great expertise** can do, companies have to start job training **from scratch**.

③ 定年制は高齢労働者がある一定の年齢に達したという理由だけで**一まとめにして辞めさせて**しまう。

③ The mandatory retirement system **lumps** eldery workforce **together** and **compels them to leave their jobs** just because they have reached a certain age.

④ 定年制は **60 歳や 65 歳を、無用で職歴の終わりと連想させ、年齢差別**を引き起こしている。

④ The mandatory retirement system **associates the age of 60 or 65 with uselessness and the end of one's career**, resulting in **age discrimination.**

⑤ 定年制は、著しく能力が低下し職を辞したいと思っている労働者の**セーフティネット**となる。

⑤ The mandatory retirement system provides a **safety net** for workers who want to retire because of their sharply declining abilities.

⑥ **年功序列型賃金**では、中高年労働者を雇うコストが必然的に高

⑥ The **seniority-based wage system** necessarily makes the cost of hiring

くなりすぎてしまう。

⑦日本企業は業績と能力が**決定要素**となる**能力給を採用し**始めている。

middle-aged and older workers too high.

⑦ Japanese companies are beginning to **adopt the merit-based wage system** in which performance and ability are **determining factors.**

2 サイエンス&テクノロジーのトピックの Argument 実践トレーニング

> サイエンス&テクノロジー関連のトピックに強くなる!(Part 1)
> **Should Space exploration be promoted?**
> 宇宙開発を推進すべきかどうか？

1969年の **Apollo 11**（アポロ11号）の月面着陸（**landing on the moon / lunar landing / moonstrike**）は、私たちに大きな感動を残しました。それ以降、1986年ロシアの世界初宇宙ステーション・ミール（**Mir**）の打ち上げ成功、惑星探査機パスファインダー（pathfinder）の活躍、そして2001年には、長年人類の夢であった民間人（Dennis Tito氏）による世界初の宇宙観光旅行と、宇宙計画は次々と実現されました。

現在の状況

現在、宇宙開発は私たちの生活に直接役立っています。地球の周りを回っている、2600個以上の人工衛星（**artificial earth satellite**）は、気象衛星（**meteorological [met]-satellite / weather eye [satellite]**）「ひまわり」やカーナビのGPS [=**global positioning system**] の他、農産物の収穫予測（**crop forecast**）、水産資源の把握（**investigation of aquatic resources**）、海難救助（**marine salvage**）、防災・災害監視（**disaster prevention and monitoring**）に使われている他、近年発展途上国で深刻化している違法伐採（**surveillance of illegal logging**）監視としても期待されています。

また、他に米国・ロシア・欧州・カナダなどが協力して進める国際宇宙ステーション計画（**ISS= International Space Station**）は、長期間実験・研究を行える場所の確保と科学技術の一層の進歩を目的として、400kmの軌道上に（in orbit）位置した、90分で地球一周する有人施設（**manned space station**）で、アメリカ・ロシアの飛行士が既に滞在し、作業を進めています。

2008年完成予定で、国際協調と平和のシンボル (the symbol of global peace and cooperation) とも言われています。

また日本は、H2Aなどの国産ロケット開発や実験棟「きぼう」建設などに総額3000億円以上の資金をつぎ込み、2002年度にはISS関連で約378億円の予算を投じています。将来の実用化時の運営経費を加えると、日本の総投資額 (the estimated total investment) は1兆円を超える見通しと言われています。宇宙開発は莫大なお金がかかり、例えばスペースシャトル1機で2000億円 (開発費別) がかかると言われており、また、有人飛行の場合には貴重な人命をも失う可能性 (possible loss of valuable human lives) があります。

軍事目的？

宇宙開発は、軍事的な戦略としても欠かせません。例えばレーガン政権は、宇宙基地 (space station) に核迎撃ミサイル (nuclear weapon-intercepting missile) を配備するという"スターウォーズ Star Wars"計画を進めていましたし、現在ブッシュ米政権は、衛星システムを含んだミサイル防衛構想システム (**missile defense system**) を押し進めています。

中国は最近、衛星攻撃兵器 (**ASAT**) 開発に力を入れており、将来的には、宇宙配備のミサイル防衛やGPSの妨害技術開発など軍事面に転用する恐れが指摘されています。また、インドも大型ロケット開発に乗り出そうとしています。

デブリ（宇宙ゴミ）の問題

役目を終えた人工衛星やロケットの残骸は宇宙デブリ (**space debris**) と呼ばれ、2001年現在で1～2万個あり、有人宇宙活動 (**manned space station /space colonization**) が本格化する時代には大きな危険をもたらすと指摘されています。

では、まず宇宙開発に賛成派の意見から見ていきましょう。

宇宙開発に賛成派の意見

Q. まず、賛成派が述べた理由を critique してみてください。その後、その反論を考えてみてください。

I am for space exploration for the following two reasons.

Firstly, **it will be of benefit to all human beings in terms of scientific advancement.** Actually we have been enjoying a variety of TV programs, accurate weather forecasts, and Global Positioning System through advanced satellites. It also allows us to prevent potential danger such as collision with asteroids by deepening our knowledge of space.

Secondly, **space exploration will lead to the discovery of another planet to live.** As we are damaging our planet and exhausting natural resources, it will become increasingly more difficult to live on earth. Therefore, we will find another planet to live before it is too late.
（101 語— 40 秒）

Words & phrases

☐ **Global Positioning System GPS** 全地球位置発見システム
☐ **collision** 衝突　☐ **asteroids** 小惑星

賛成派の主張

① **科学の進歩において人類の利益となる**。実際様々な TV 番組や正確な天気予報、GPS などは進歩した衛星のおかげである。また、宇宙探検を通じて宇宙の知識を深め、小惑星との衝突などの危険も回避できる。
② **居住できる惑星の発見につながる**。地球を破壊し資源を使い果たし、地球にはますます住みくくなる。手遅れになる前に住める星を探すだろう。

賛成派の主張はいかがですか。まず 1 番目の理由ですが、これはなかなか強そうですが、キーアイデアの「未来の利益」は弱いので「現在」に変えて、

"Firstly, it brings us tremendous scientific and technological benefits." に変え、サポート部も、"we have been enjoying 〜" で始まるよりも、次のようにした方が効果的です。"For example, space exploration has developed satellite technology which in turn has provided human beings with highly advanced broadcasting, telecommunications and weather-predicting capabilities." とか、"Space research has generated tremendous scientific and technological spin-offs ranging from super-conductors to miniaturized microchips." とか "Strategic space-based interceptors are useful in averting meteoric strikes." などに変えた方がより具体的で説得力が増します。さて今度は、それに対する counterargument を考えてみてください。

賛成派 1-1. 科学の進歩において宇宙開発は、人類の利益となる。

これは宇宙開発の一番強い理由で、反論しにくいかもしれませんが、アーギュメントの弱点を探して次のように反論することができます。

反論 1-1. 実際には、**衛星は宇宙探検技術ではなく、地上を対象に開発した技術である。**衛星は宇宙探検しなくても発見されていただろう。

Actually, **satellites are not examples of space exploration technology but those of terrestrial technology developed purely for terrestrial purposes.** They would have been discovered without space exploration.

これは痛烈な counterargument でしょう。しかし、これに対して賛成派は、宇宙でするからこそ得ることができる利益、地上ではできない実験の重要性を挙げながら次のように反論しましょう。

賛成派 1-2. 大気・宇宙プラズマの研究から、地球や太陽系の起源に関する知識追求など多くの科学実験は、宇宙でのみ可能であり、行われるべきである。

Many scientific endeavors ranging from study of air and space plasma to the pursuit of knowledge about the origin of the earth and the solar system can be and should be conducted only in space.

さてそれに対する次の反論はどうですか、考えてみてください。

反論 1-2. 宇宙での実験はあまりにも**コストと時間がかかるので、地上で十分な研究を進めてから宇宙での研究をすべき**である。

They are so costly and time-consuming that scientists should conduct experiments first on earth. Only when they get ready, should they do them in space.

　いかがですか。これはまずい反論の仕方です。というのは宇宙開発に反対しておきながら、結局は**「宇宙での研究をすべき」**と述べてそれを肯定することで自分のアーギュメントを弱めてしまっているからです。もっと地上での研究の意義を強調し、宇宙での研究は当分は考えられないというふうに持っていかないといけません。

　反対派の大多数は、宇宙開発が金の無駄使いであるという見方をしています。実際、宇宙開発には巨額の金がかかり、どの国もその予算には頭を痛めています。しかし、コロンビアの事故後行われた統計でも、半分以上のアメリカ人は宇宙開発に賛成で、宇宙についての追求は、人類の永遠の夢であり抑えきれないようです。

　さて賛成派2つめの理由は「他に住める場所を探せる」というものでした。これにはどう反論しますか？

反対派 2-1. 政府は**非現実的なプロジェクトに時間、お金、精力を使うべきではない**。地上には貧困や環境悪化問題があり、宇宙開発よりはるかに重要なのだ。

> **The Government should not spend time, money and energy on such a quixotic project** when the earth has many problems like poverty and environmental degradation. Solving those serious problems far outweighs such attempts.

このように反対派が持ってくる強い理由の一つに、「貧困や飢餓など地球上の緊急問題が山ほどあるのに、宇宙望遠鏡、スペースシャトル、宇宙調査、スペースステーションなどにお金をかける余裕はない（"We cannot afford to spend billions on space telescopes, space shuttles, space probes, space stations when so many urgent problems like poverty and famine exist on earth."）というものがあります。これに対する反論としては、「宇宙開発によってもたらされる莫大な利益が、地球上の諸問題の解決につながる」ことを述べればいいわけです。それでは反対派の立論の一例を示しておきます。

反対派の意見

> I am against space exploration for the following two reasons.

> Firstly, **we need to address many urgent problems with our daily lives on earth first rather than promote space exploration**. While space explorations are gulping so much money, the world is plagued by war, famine, and poverty, leaving billions of people struggling to survive. Therefore, instead of wasting their time, money and effort on quixotic projects, governments and scientists must tackle urgent problems on earth first.
> Secondly, **space exploration carries grave potential dangers.** Accidents could have disastrous consequences. It will not only destroy

> spaceships but also claim the lives of astronauts with great expertise and even leave radioactive debris in space. It can also cause serious space arms races among space-technology advanced countries.（119語― 47秒）

Words & phrases

- **gulp** 吸収する　□ **plague** 苦しめる　□ **famine** 飢饉
- **quixotic** 現実離れした　□ **claim** （人命を）奪う
- **expertise** 専門知識　□ **radioactive debris** 放射性宇宙ゴミ

反対派の主張

① **宇宙開発より緊急を要する地上の問題に取り組むべきである。**宇宙開発に多額の金をかけているが、地上では戦争、飢饉、貧困などで大勢の人が苦しんでいる。現実離れしたプロジェクトに時間や金をかけ努力するのでなく、政府や科学者は地上の緊急問題にまず取り組むべきである。

② **宇宙開発には大きな危険性がある。**事故は大惨事となる可能性がある。宇宙船のみならず専門知識を持つ宇宙飛行士を失い、また宇宙に放射性のゴミを巻き散らす。さらに、宇宙技術先進諸国間における激しい宇宙兵器競争にもつながる可能性もある。

　さて以上で宇宙開発に関するアーギュメントトレーニングは終わりですが、この他にも、賛成派にはET（extra-terrestrial life［地球外生物］）の探索に役立つという主張があって、それに対しては「宇宙が大きすぎてそれは無駄である "The search for extra-terrestrial intelligence is futile."」という反論が考えられます。

「宇宙開発」について何でも話せる語彙・表現力 UP トレーニング

★ ワンランク UP 表現

① 宇宙開発は**衛星技術**を発達させ、**高度な通信技術**、天気予報技術を人類にもたらしている。

① Space exploration has developed **satellite technology** which has provided human beings with highly advanced **telecommunications and weather-predicting capabilities**.

② 宇宙探検によって、宇宙の起源や自然が科学的に解明され、膨大な量の**科学技術の副産物**が生まれた。

② Space exploration has brought human beings scientific understanding of the origins and nature of the universe as well **as** tremendous **scientific and technological spin-offs**.

③ 宇宙開発は、将来**人口過剰**や**天然資源不足**に苦しむ人類が住む他の惑星の発見につながる。

③ Space exploration will lead to the discovery of another planet for human beings to live who will suffer from **overpopulation** and **lack of resources in the future**.

④ 宇宙探検は**彗星や隕石の衝突を予測したり回避する**のに役立つシステムの開発につながる。

④ Space exploration can lead to the development of the strategical system to **forsee and avert comet and meteorite strikes**.

⑤ 政府は、**非現実的なプロジェクト**に時間、お金、精力を使うべきではない。貧困や**環境悪化**などの多くの問題を抱えているのだから。

⑤ The Government should not spend time, money and energy on such a **quixotic project** when the earth has many problems like poverty and **environmental degradation**.

⑥ 宇宙探検での事故は、**素晴らしい専門知識をもつ飛行士の命を奪ったり、放射能ゴミを宇宙に**ばら撒いたりする大惨事となりかねない。

⑥ Accidents in space exploration have disasterous consequences, **claiming the lives of astronauts with great expertise** and leaving **radioactive debris** in space.

> サイエンス&テクノロジー関連のトピックに強くなる!(Part 2)
> **Should access to the Internet be restricted by law?**
> インターネットへのアクセスを法律で規制すべきか？

インターネットは軍用だった！

　1960年代、**The Pentagon**（米国国防総省）が核戦争にも耐え抜けるような軍事用ネットワーク（**military network**）として開発したものが、インターネットだったのです。我々民間人の手に届き始めたのは1990年代半ばになってからで、それ以来インターネットに使用されているtechnology自体も、使用者数も考えられないような割合で成長しました。

現在の使用状態は？

　2001年現在、日本でのインターネット人口（Internet population）は、政府発表では約5500万人。生みの親である米国では1億6600万。英国は3300万、ドイツ3000万、フランス1300万、韓国は2200万の人たちがインターネットを利用しています。

何が問題なのか!?

　日本では1997年には、約1100万人しかいなかった使用者が4年ほどで5倍ほど急増（fivefold increase）しました。当然ながらこのように急激な成長を伴うものには、モラル面や犯罪面での問題が生じてきます。**Internet censorship**（インターネット検閲）、**regulations**（規制）も重要なトピックです。では例によって一緒にインターネットへのアクセス規制問題のpros and consをcritiqueしながらそのcounterargument（反論）を考えていきましょう。

インターネット規制賛成派の意見

Q. 賛成派がその理由を述べています。あなたならどう反論しますか？ 反対派になりきって考えてみましょう。

I think access to the Internet should be restricted by law for the following two reasons.

Firstly, **it will protect children from violent and obscene sites.** Nowadays most adults are keenly aware that there are a lot of violence and obscene sites on the Internet. Those sites will seriously undermine children's mental growth and lure them into juvenile delinquency. Therefore, access to pornographic and violent sites should be restricted by law.

Secondly, **it will protect individual's right to privacy and quality life.** The Internet is one of the most efficient tools for mass communication through which any kind of information can be available to anyone anywhere. For example, users can have easy access to information on how to build bombs, while some fanatic groups can make encoded sites for terrorism. Under the circumstances, access to the Internet should be restricted by law to ensure safety and quality life.
(130語—52秒)

Words & phrases

☐ **obscene** みだらな　☐ **juvenile delinquency** 少年犯罪
☐ **encode** コード（暗号）化（する）

賛成派の主張

① **バイオレンスやポルノのサイトから子供を守る**。昨今ほとんどの大人は、インターネット上に有害なサイトが溢れていることを痛感している。このようなサイトは子供の健全な成長を蝕み、非行に導く。故に有害サイトは

法で規制されるべきである。
② **個人のプライバシーや生活を守る**。インターネットは情報を大量伝達するのに最適であるがどんな情報も誰にでも伝わる。例えば、爆弾の作り方がわかるサイトを簡単に見られるし、狂信的なグループがテロを暗号化したサイトを作ることができるなど。このような状況下、安全を確保し、生活を守るためにインターネットへの接続は法で制限されるべきである。

さていかがですか。この賛成派の主張には説得力があるか考えてみてください。1つ目の理由はいいですが、2つ目の理由はサポート部がまずく、ポイントであるプライバシーの権利を守ることに関しては全く例証されていませんね。さて今度は反論してみましょう。どう反論するか決まりましたか？ 必ず自分で考えてから読んでください。

賛成派 1-1. バイオレンスやポルノのサイトから子供を守る。

子供がいる家庭では、子供たちがどんなサイトを browse（ウェブページを見ること）しているかは、親として気になることです。インターネットへのアクセスを法規制すれば、青少年健全育成に役立つというのは賛成派がよくあげる強い理由です。当然ここでは、法規制をしても子供たちを守ることはできないと反論していくことになります。

反論 1-1. **規制を設けても、子供が有害なサイトにアクセスすることを止められない**。ITに強い子供たちは、法の抜け穴をくぐり簡単に有害なサイトを見る。

Law cannot serve as a deterrent to children's access to those harmful sites . IT-savvy children can easily access those sites through loopholes.

ご存知 hacker（ハッカー）の話です。ちなみにこのハッカーは、もともとはコンピュータに詳しい人への敬称だったのですが、最近ではコビルドによりますと、① A computer **hacker** is someone who tries to break into computer systems, especially in order to get secret information.（コンピュータシステムに入り込み、特に秘密情報を得ようとする者）② A computer **hacker** is someone who uses a computer so much that they have no time to do anything else.（ひたすらコンピュータを使ってばかりいる者）となっています。さぁ、この反対派のアーギュメントにはどう反論しますか？

賛成派1-2.　**法制化により人々は問題の深刻性をより強く認識するので、有害サイトから子供を守りやすくなる。**

Regulations will heighten people's awareness of the seriousness of the problem, thus paving the way for the protection of children from harmful contents.

なかなか上手い切り返しですね。ではこれに対する次の反論はいかがでしょうか。

反論1-2.　**子供を守るのは法律ではなく周囲にいる大人、つまり親や教師の役割である。**親や教師が子供のアクセスするサイトを把握しておくべきだ。

Children should be protected against those harmful contents by parents and teachers rather than by legislation. Parents and teachers should keep track of sites children often access.

これは弱いですね。前の意見には答えていないし、親や教師が四六時中、子供を監督できるわけでもないし、また何の理由付け（grounds）もなく、勝手にそれが親や教師の役割であると決めつけており、"judgmental"で"untenable（反論されると脆い）"なアーギュメントになっています。"As a caretaker（保護者）として"と加えて、「caretakerとして親、教師が子供を有害なものから守るのは当然である」とすれば少し強くなります。さて賛成派2つめの理由は

> 賛成派 2-1　個人のプライバシーや生活を守る。

というものです。反論内容は決まりましたか？

> 反対派 2-1.　**法律で個人のプライバシーや生活権を守ることはできない。**法規制はアクセスできる情報を操作し、自由権や知る権利を侵す。
>
> **Regulations cannot protect individual rights to privacy or quality life.** Those regulations will manipulate information we can access and violate the right to freedom and the right to know.

　この主張にも問題があります。規制が個人のプライバシーや生活の権利を守ることができないことの理由づけもなく、「自由や知る権利」という別のポイントを述べています。これは前の 1-2 と同じくサポート部が不完全です。ところで、新たなポイントで反対派がよく使う理由、「知る権利の妨害」となるというアーギュメントに対してはどう反論しますか。

> 賛成派 2-2.　**自由とプライバシーの権利は、有害サイトの規制と矛盾せず、社会の秩序維持には両方重要**である。ウイルスを持つ E メールを除去するように、善良なる市民が知る前に有害な情報を検閲することは、情報を歪曲したり隠すこととは違う。
>
> **The rights to freedom and privacy don't contradict regulations on harmful contents, both of which are equally important for the maintenance of order in society.** Like eliminating emails with computer viruses, censoring harmful information before it reaches innocent citizens completely differs from the distortion or concealment of useful information.

　サポート部に analogy（類推：比較の対象が人間でないため苦しいが）を使いながら上手く切り返しましたね。さてこれに対してはどう反論しますか。

反対派 2-2. **情報の選択は、政府や団体に操作されるのでなく個人の自由裁量に任されるべきである。**アクセスを規制しない言論の自由から得られる膨大な利益を考えれば、円滑な情報交換やコミュニケーションを妨げる政府などによる規制は妥当ではない。

Choice of information should be left completely up to people's discretion without the control of the government or any other organization. Enormous gains from freedom of expression under the unregulated Internet access will rule out anti-democratic government regulations that can block a smooth flow of communication and exchange of information.

敵も負けてはいません。なかなかやるものですね。それでは最後に、反対派の立論の仕方の一例を示しておきます。

反対派の意見

I don't think access to the Internet should be restricted by law for the following two reasons.

Firstly, **it goes against the spirit of freedom of expression** which is guaranteed by the Constitution. Unlike China or North Korea where public opinions are often suppressed, Japan [America] is a purely democratic country which is supposed to promote a free exchange of ideas and information.

Secondly, **it will dampen the economy.** In the cyber-world [cyberspace], a lot of entrepreneurs have set up new businesses dealing in everything from books and electronic media to furniture to clothes. The Internet has actually promoted economic growth. But restrictions on access to the Internet will undermine economic growth which can be otherwise stimulated.（92 語— 37 秒）

> **Words & phrases**

□ **dampen** くじく、鈍らせる　□ **cyber-world** コンピュータの世界

> 反対派の主張

①**憲法で保障されている表現の自由に反する**。世論が抑圧されがちである中国や北朝鮮と違い、日本［アメリカ］は真の民主国家で思想や情報を自由に述べあえる。

②**経済を阻む**。サイバースペースでは多くの起業家が書籍、電子メディア、家具、洋服と何でも扱う新しいビジネスを始めた。インターネットは経済成長を促したのだ。アクセスを規制すれば、自由な情報・アイデア交換で活気づく経済成長を阻むことになるだろう。

　さて皆さんインターネット規制に関する argument はいかがでしたか。

「インターネット」について何でも話せる語彙・表現力 UP トレーニング

★ ワンランク UP 表現

① 法規制すれば、バイオレンスやポルノのサイトの影響**から子供を守る**。

① Regulations will **protect** children **from exposure to** violence and obscene sites.

② **ハイテクに精通した子供たち**は、抜け穴を通って、どんなサイトにも容易にアクセスできる。

② **IT-savvy children** can easily access any site through loopholes.

③ 有害サイトと表現の自由の権利を規制するのは**両方とも、社会秩序維持のために必要である**。

③ Both regulations on harmful contents and on the right to freedom of expression **are equally important for the maintenance of order in society.**

④ 情報の選択は**個人の裁量に任せる**べきである。

④ Choice of information should **be left up to the discretion of** individuals.

⑤ インターネットの規制は憲法が保障する**表現の自由の精神に反する**。

⑤ Regulations on the Internet **go against the spirit of freedom of expression** which is guaranteed by the Constitution.

⑥ インターネットのアクセス規制は**経済を鈍らせる**。

⑥ Restrictions on access to the Internet will **dampen the economy.**

⑦ 法制化によって事態の深刻性を**強く認識させる**ことになる。

⑦ Regulations will **heighten people's awareness of** the seriousness of the problem.

3 教育のトピックの Argument 実践トレーニング

> 教育のトピックに強くなる！
> Should the school dress code be abolished ?
> 制服を着用すべきかどうか？

　日本では制服着用は当たり前のように行われてきましたが、ここ 20 〜 30 年ほどは自由化（liberalization）への動きも活発になっています。世界はどうでしょうか？

　英国では、**compulsory education**（義務教育）の間は制服着用が普通であるという点で、日本に近いとは言え、60・70 年代には「個性と創造性を損なう（**undermine students' individuality and creativity**）」という理由で、3,500 校が私服へと変更。しかし、英国教育省（**the Ministry of Education**）は、89% の保護者が制服着用に賛成している調査結果から、2002 年、次の 3 点を強調し制服を支持しました。

① 子供たちに「学校の一員としての誇り（**instill in students a sense of pride and belonging to their school**）」を持たすことができる。
② 子供たちに規則を守ることを教える（**develop conformity to the rules of society**）ことができる。
③ 地域社会全体が制服を着た子供に注目しやすいため、目を配りやすく、子供の犯罪防止に役立つ（**serve as a deterrent to juvenile delinquency**）。

　日本ではあまり問題になりませんが、**melting pot**（人種・文化のるつぼ）である英国では、一口に制服と言っても、イスラム教徒の女子生徒はスカーフ着用を認めるなど、異文化に対する柔軟性（**tolerance for foreign cultures**）を見せています。

　一方 **France** や **the USA** では一部の私立を除いては、制服着用は極めて稀でしたが、最近では異なる動きがあります。例えば 1998 年には New York 州

で 50 の公立が、犯罪抑制効果を期待して一斉に制服着用に踏み切りました。

現在 24 州が **dress code**（制服規定）を制定し、着用を義務づけていますが、色や形だけを大まかに決めている程度という学校が大半で、「着ない自由」（freedom of choice）も保障している点など、日本とはかなり違います。

いずれにせよ制服については、students、parents そして educationalists（教育者）たちの間で論争を呼び、私服化する学校があれば、制服化する学校があるなど、どちらか一方だけとはいかないようです。制服私服それぞれ一長一短、ということなのでしょう。

制服に賛成派の意見

Q. 賛成派がその理由を話していますが、皆さんならどう反論しますか？

I am for school uniform for the following three reasons.

Firstly, **school uniform contributes to a rise in students' academic abilities.** When students can wear whatever clothes they want to, they tend to spend much time thinking about their clothes or matching accessories or even hairdos, resulting in a decline in their academic abilities. But school uniform will allow them to concentrate on their schoolwork and thus raise their academic abilities.

Secondly, **school uniform will help reduce juvenile delinquency.** Uniform can easily identify its wearers as a student at a certain school. This merit of identification will definitely serve as a deterrent to juvenile delinquency.

Thirdly, **school uniform reduces parents' spending on childrens' clothing.** A survey conducted by the American government indicates that the ratio of uniform costs to those of private clothes is 1 to 2 or 3. School uniforms cost much less than private clothes. （137 語― 55 秒）

> **Words & phrases**
> □ **juvenile delinquency** 青少年非行　□ **deterrent** 抑止　□ **ratio** 比率

> **賛成派の主張**

①制服着用で生徒の学力が高まる。生徒が何でも着用できる場合、洋服やそれにマッチするアクセサリー、髪型にまで注意が向き学力低下を招く。しかし、制服なら生徒は勉強に集中するので、学力が高まる。

②制服は青少年の非行を減らす。制服でどこの学校の生徒か簡単に分かるので青少年犯罪の抑止力となる。

③制服は親にとって子供の洋服代の節約となる。米国政府の調査では、制服対私服の費用は1対2〜3。制服は私服より、はるかに安いのだ。

③には、他に Parents don't have to replace wardrobes every few months to follow the latest fashion trends（親は子供のために、流行の服をしょっちゅう買ってやる必要がなくなる）という主張もあります。

さて皆さんいかがですか。3つも理由を述べており、それを上手くサポートしておりなかなか説得力があり（convincing and tenable）ます。でも負けずに賛成派に反論してみましょう。

どう反論するか決まりましたか？　では一緒に見ていきましょう。

> 賛成派 1-1.　制服着用で学力向上につながる。

なかなか強い理由を挙げてきました。これに対して反論するには、制服が学力向上につながらない理由づけ（make a case against it）をしなくてはなりません。次の反論はどうですか。

> 反論 1-1.　**その反動で、私服への関心がより一層高まる。**生徒の自由願望を抑圧すると学習意欲に逆効果で、勉強よりおしゃれに夢中になる。故に制服は成績向上の助けにならない。

Students will show more interest in clothes as a reaction against school uniform when they are required to wear them. Restrictions on students' inherent desire for freedom will have adverse effects on their attitude toward study, encouraging students to pay more attention to fashion than schoolwork. Thus it will not help raise students' academic abilities.

ちょっと苦しいですが、一応反論できました。すばらしい！　このたくましさがアーギュメントには必要です。さぁ、これに対してどう反論しますか。考えてみましょう。

賛成派 1-2.　**制服着用時間が私服よりはるかに長いので、当然ながらおしゃれより学習に注意が向く。**

They wear uniform much longer than their own clothes so that they naturally pay less attention to fashion than study.

これもちょっと苦しい。まあ英検 1 級の面接試験ならここで試験官もふんふんとうなずいて、笑って許して（？）くれますが。さて、これに対してもう 1 度だけ反論するとすれば、皆さんならどう言いますか？「若者は外見を気にするものであり、時間の長短に関わらず、自分を主張する私服に関心がいくであろう。」と言うのもいいですね。

さて賛成派 2 つめの理由は「青少年犯罪を抑止する」というものでした。これにはどう反論しますか。

反対派 2-1.　**制服の場合、どの学校に所属しているかがわかる**ので学校の行き帰りでのいじめや、けんかが増える。

School uniform gives student identity and underscore differences between schools, encouraging bullying and fights between students at different schools as they go to and from school.

　この反論のし方には問題があります。それは、「青少年犯罪を抑止する」という主張にダイレクトに反駁せず、周りから（サポート部）から述べている点です。これは unconfrontational（真っ向からの対立を避けたがる）日本人の対話によく見られますが、"clarity" を重視するアーギュメントでは避けましょう。まず最初に、"It will not help alleviate juvenile delinquency." と言ってから、上の根拠を述べていきましょう。「違う学校の生徒間でけんかが起こりやすくなる（fights are more frequently picked between students at different schools who recognize each others' uniforms）」というわけです。確かにあり得ます。さぁ、賛成派としてはどう切り返しましょうか。次の counterargument はいかがですか。

> **賛成派 2-2．いじめやけんかは起こりうるかもしれないが、全体的には制服導入後は万引きやけんかなどを含め青少年非行が減っている**という調査結果がある。
>
> Such a case could happen, but surveys indicate that **as a whole, the incidence of juvenile delinquency including that of shoplifting or fighting has decreased.**

　これは調査結果という統計（statistical data）を引き合いに出しているのでなかなか強くなります。しかし、相手が統計でいくなら反対派もそれに対抗して別の調査結果を counterevidence（反証）として出して次のように反論することができます。

> **反対派 2-2．ノートルダム大学の調査では、制服が生徒の行動に直接影響を与えるという結果は見られない。**逆に、最悪のシナリオは制服を着せられて不満が鬱積した生徒が非行に走ることである。
>
> **According to a survey conducted by the University of Notre Dame,**

> **school uniforms have no direct effect on students' behavior.** On the contrary, the worst-case scenario is that students could find an outlet for pent-up frustrations with school uniform in delinquency.

こうなるとデータ対データの戦いになります。しかし実際には、制服導入後、盗みやけんか、遅刻（tardiness）や欠席（truancy）が減少したという報告の方が多いのです。米国ではワシントン、シアトル、メリーランドなどの州で調査を行い、制服の効果であると言い切ってはいないものの、制服導入直後、大幅な生徒の態度改善が見られています。これは少しばかり反対派の方が苦しいかもしれません。

さて賛成派最後の理由は、「制服は洋服代を節約できる」というものです。これにはどう反論しますか。次の反論はいかがでしょう。

> 反対派 3-1. **制服のジャケットや靴は**他の子供服と比べると**高価である**。また学校以外には着用できないので、大変不経済である。
>
> **Uniform items such as jackets and shoes are very expensive** compared with the rest of children's wardrobe. Besides, they are never worn outside the school environment, which is quite wasteful（they have no value or use outside school）.

日本も、一部の私立学校でデザイナーブランドの制服を作り、とっても高くつくとブーイングが起こったり、費用の関係から制服をやめて私服にしたりした高校もありました。このアーギュメントに対する反論はいかがでしょう。考えてみてください。

> 賛成派 3-2. **制服は比較的安い**。また冠婚葬祭にも着用でき、上手に利用すれば不経済ではない。
>
> **Generally, uniform is relatively inexpensive.** Besides, they are worn

> on special occasions such as funeral or wedding. Wearing uniform is not wasteful at all when they are used effectively.

なるほど。高価でない反例ではありませんが「あー言えばこう言う」で粘り強いですね。それでは反対派最後の主張を見てみましょう。

反対派 3-2. 生徒ではなく学校側が制服を決定する。**制服は**洗濯も温度調節もしにくく、**権威支配の象徴そのものだ。**

> Students normally don't decide what uniform to wear but schools do. **Uniform is nothing but a symbol of authoritarian rules** which cause difficulty in washing and adjusting to temperature changes.

あれ何か変ですよ。服代節約の利点の反論のみをしなくてはならないのにポイントが大幅にそれてしまっています。こういったことは絶対アーギュメントでは避けなくてはなりません。それでは参考のために反対派の立論の一例を示しておきましょう。

反対派の意見

> I am against uniform for the following three reasons.

> Firstly, **school uniform hampers the development of individuality and creativity.** The military-style discipline represented by the school dress code is a major contributing factor in creating characterless persons with sheer conformity.
> Secondly, **school uniforms are not adaptable to seasonal changes in temperatures.** Children feel too cold in winter or too hot in summer because they cannot wear sweaters to warm themselves up in winter or some casual clothes like T-shirts in summer.
> Thirdly, school **uniforms are quite expensive** compared with the rest

of children's wardrobe. Besides, they are never worn outside their school environment, which is quite wasteful.（98 語― 39 秒）

Words & phrases

☐ **suppress** 抑圧する　☐ **hamper** 妨げる　☐ **conformity** 従順

反対派の主張

①制服は個性や創造性の育成を阻む。制服に代表される軍隊式の規律は、盲目的に服従する個性のない人間を生み出す主な原因である。

②制服は季節の温度変化に対応していない。冬に寒すぎると思う生徒もいれば、夏に暑すぎると思う生徒もいる。セーターを着て暖を取ったり、逆に暑い時に T シャツを着ることもできない。

③制服は他の子供服と比べて高い。また学校以外では着用しないので不経済である。

「制服」について何でも話せる語彙・表現力 UP トレーニング

★ ワンランク UP 表現

① 制服着用により個性と**創造性が失われる**。

① School uniform **undermines students' individuality and creativity.**

② 制服は**社会生活の決まりを身につける**ために役立つ。

② Uniform encourages **conformity to the rules of society.**

③ 生徒に**学校への誇りと帰属意識**を**教え込む**為、制服制度を導入している学校もある。

③ Some schools adopt uniforms to **instill in** their students **a sense of pride and belonging to** their school.

④ 制服着用は、青少年犯罪の**抑止力**になる。

④ Wearing uniforms **serves as a deterrent to** juvenile delinquency.

⑤ 制服は**季節の温度変化に対応し**ていない。

⑤ Uniforms are not **adaptable to seasonal changes in temperatures.**

⑥ 制服は高価なので、親に**とって**はかなりの経済的負担である。

⑥ Uniforms are quite expensive, **imposing a heavy financial burden on** parents.

⑦ 制服着用により、**学業成績が向上する**と言う人もいれば、**直接的な影響はない**と言う人もいる。

⑦ Some argue that uniform **helps improve students' academic performance**, while others argue that they **have no direct effect on** students' behavior.

4 ジェンダー問題のトピックの Argument 実践トレーニング

> ジェンダーのトピックに強くなる！
> **Should women change their family names when they get married?**
> 女性は結婚すれば姓を変えるべきか？

　このトピックについて話すためには、最近議論の的になっている夫婦別姓（**separate surnames for married couples**）についてよく調べておくことが必要です。

日本の夫婦の姓に関する制度

　日本の民法（**the civil code**）では、結婚の時に夫または妻の姓を選択して、夫婦が同姓になるように定められています。この制度は男女が平等に姓を選択する機会を与えているという点で男女平等のようですが、現実は98％近くの夫婦が夫の姓を選択しています。

夫婦別姓を求める動き

　日本では、女性の社会進出（**women's growing influence in society**）が進み、男女平等（**gender equality**）意識が高まるにつれて、1980年代から夫婦別姓制度（**a two-family name system**）を望む女性たちが多くなってきました。
　夫婦別姓への法改正は、1991年の民法改正（**the revision of the civil code**）の審議から始まり、1996年2月に公表された民法改正要綱で、選択的夫婦別姓制度（**an optional separate surname system**）の導入が提案されました。この改正案は、この年に政府案として国会に出される予定でしたが、

自由民主党内に消極的意見が根強かったため、見送られました。この後 2001 年に至るまで毎年のように野党から改正案が国会に出されていますが、まだ成立していません。

現在の日本における夫婦別姓の3タイプ

　法律上では夫婦別姓は認められていませんが、最近は以下のいずれかの方法によって別姓を実践している夫婦が増加しています。

① 通称使用：結婚時に夫の姓を選択して婚姻届を出すが、(**register their marriage**)、仕事上または社会生活上では結婚前の旧姓（**maiden name**）を通称として使い続ける。職場での通称使用はかなり広まっているが、使える範囲が限られ、戸籍姓と通称との使い分けも面倒。

② 事実婚（**de-facto marriage**）：婚姻届を出さずに別姓を実践する夫婦も増えている。仕事上の不都合もなく、各種手続きも必要ないが、子供は婚外子（**illegitimate child**）になり、配偶者相続権（**inheritance rights of a spouse**）がないなどの不利益が生じる。

③ ペーパー離再婚：法律婚（legal marriage）をしながら普段の生活では旧姓を使用。住民票（resident card）や戸籍抄本（copy of family register）などが必要な時は、離婚届を出し（register a divorce）、手続きが済めばまた婚姻届を出す。水島広子衆議院議員達が、インターネットやテレビを通じて広めた方法だが、手間がかかりすぎる。

日本での最近の動き

　2001年5月に行われた夫婦別姓についての世論調査では、法改正賛成が42%、通称使用を認める意見と合わせると65.1%。夫婦別姓を最も強く支持しているのは、30代の女性と20代の男性でした。今後法律が改正される可能性は十分あるでしょう。

海外における夫婦別姓の状況

　現在、夫婦同姓を原則とする国は、日本（夫婦どちらかの姓）、インド・タイ（夫の姓）、オーストリア（夫婦どちらかの姓、旧姓付加も可）、スイス（夫の姓、旧姓付加も可）の5カ国だけです。一方、アメリカ、イギリス、フランス、スウェーデン、カナダなどは法律的に夫婦別姓を認めています。アジアでも中国や韓国などが夫婦別姓を採用していますが、男尊女卑（**male chauvinism**）の色濃い儒教の教え（Confucian teachings）に基づいて、嫁は血族として認められないという上での別姓だそうです。

　さてそれでは例によって賛否両論を critique してみましょう。まずは賛成派の意見からです。

夫婦同姓に賛成派の意見

I believe that women should change their family names when they get married for the following two reasons.

Firstly, having the same surname fosters family unity. Separate surnames for a married couple will lead to the collapse of the household as one. Nowadays, newspapers are full of stories about social ills like rising violence among Japanese youth, indicating a strong need to preserve family unity.

Second, a two-family name system will create social confusion. For example, a married couple with separate surnames has to decide on the surname of their children, while a couple with the same surname does not have to bother to do so. Furthermore, it is hard for other people to tell whether they are married or not when a couple has separate surnames.
（114 語— 45 秒）

> **Words & phrases**
>
> ☐ **family unity** 家族の結束　☐ **social ills** 社会悪
> ☐ **rising** 増加する　☐ **create confusion** 混乱を引き起こす
> ☐ **decide on** 〜を決める、決定する

> **賛成派の主張**

① **夫婦同姓は家族の結束を保つ**。夫婦別姓は、一つの世帯という概念を崩す。最近新聞には、日本の若者の暴力が増加しているという社会悪の記事だらけで、家族の結束を強める必要性を示している。

② **夫婦別姓制度は社会混乱を引き起こす**。例えば、別姓の夫婦は子どもの姓を決めなければならず、同姓の夫婦にその必要はない。さらに、夫婦が別姓だと、結婚しているかどうか他者にはわかりにくい。

それでは次に、上記の考えに反対している人たち、つまり夫婦別姓の推進派の意見も考慮に入れて、賛否両論（pros and cons）を観るという大局をつかむ（put into perspective）ことにしましょう。

> **反対派の意見**

> I do not think that women should change their family names when they get married for the following three reasons.

First, **keeping their maiden names plays a vital role in preserving women's identity.** More and more women, especially younger generation, feel that letting go of their own surnames is like losing themselves, and find it unfair that married women in Japan are identified only by their husbands' surnames.

Second, **separate surnames for a married couple will promote gender equality.** Changing their family names indicates that women are subservient to men and that the rights of women as equal partners are ignored in marriage. The separate surname system is a way of standing up to the traditional Japanese norms that women should obey their husbands.

　Third, **changing their family names inconveniences working women.** They are forced to change their socially recognized surnames that they have used at work. They also have to change their names on credit cards, driving licenses, business cards and so forth.
(148 語— 59 秒)

Words & phrases
□ **maiden name** 旧姓　□ **let go of** 〜を手放す
□ **subservient to** 〜に対して卑屈な、〜にへつらう
□ **standing up to** 〜に立ち向かう
□ **inconvenience** 〜に不便を感じさせる

反対派の主張
① **旧姓を名乗り続けることは、女性のアイデンティティを維持する。**多くの女性、特に若い世代の女性が、旧姓を失うことは自分自身を失うのも同然だと感じ、日本では既婚女性が夫の姓で呼ばれることは不公平だと思っている。
② **夫婦別姓は男女平等を推進する。**女性が姓を変えることは、男性に従い、パートナーとして平等であるべき女性の権利が結婚で無視されることだ。夫婦別姓は、夫に従うことを強いる日本の伝統的通念に立ち向かう方法である。
③ **姓を変えることは、働く女性にとって不便である。**仕事で使用し社会的に通ってきた姓を変えなければならない。また、クレジットカード、運転免許証、名刺などに記載された名前も変えなければならない。

　さて、このアーギュメントはいかがでしょう。理由を3つも述べて力強く見えるかもしれませんが、いくつか問題点があります。まず、1と2の理由はサポート部も悪くオーバーラップしており、両方とも「男女不平等」の問題につながってしまいます。そこで、1のポイントは "preserve their identity" とし、サポート部も "unfair" という言葉は省いて "loss of identity" にフォーカ

スする必要があります。それから、3 のサポート部にも問題があり、ポイントが「働く女性への悪影響」であるのに、クレジットカードや免許証など誰にでも当てはまる例証を述べています。何度も言っているように、"strong key ideas followed by effective supporting details" が重要で、名前を変えることでビジネスに支障をきたす（seriously affect business relationships）例を述べる必要があります。あるいは次のように変えることもできます。キーアイデアを "Changing their family names inconveniences women, especially working women." にし、They also 〜を "Women have the inconvenience of changing their names 〜" にします。

　さて、それでは次に、結婚時にほとんどの女性が姓を変えることに賛成する意見に、夫婦別姓を支持する立場から反論してみましょう。まず、自分で考えてみてから、以下の主張を critique してみてください。

賛成派 1-1.　夫婦が同姓であることによって家族の結束が保たれる

　現状維持を支持する人は、これを 1 番大きな理由として挙げています。夫婦が同姓の場合、彼らの子どもも必然的に両親と同じ姓を名乗ることになるので、家族の一体感が保たれる、ということを主張したいのだと思われます。これに対して、どう反論することができるでしょうか。一見もっともらしく感じられますが、法律により、事実婚の夫婦以外は同姓で、しかも大部分の女性が結婚に際して姓を変えている日本でも、他の先進国と同様に離婚率が増加していること、また、**dysfunctional family**（崩壊家庭）も増えていることを考えると、夫婦同姓が家族の結束につながる、というのが本当かどうかが疑問になってきます。

反論 1.　**夫婦同姓であることが家族の結束を保つわけではない**。なぜなら、ほとんど女性が姓を変えているのに、現代の日本では離婚率、崩壊家庭が増加しているからである。

Having the same surname is not a way of preserving family unity

because both the divorce rate and the number of dysfunctional families have been increasing in modern Japan despite the fact that most women change their family names when they get married under the current family-register system.

　この反論は、「離婚率の上昇や家庭の崩壊の増加の要因はたくさんあるので、夫婦別姓がそれらの上昇につながるわけではない」と言いたいのでしょうが、「夫婦別姓」がそれらを助長することは決してないということを反証し切れていないので、余り強くありません。これに対する賛成派の反論は、「夫婦別姓が認められるようになれば、社会の崩壊が進み、離婚率が高まる」というものですが、この主張はいかがでしょうか。

賛成派 1-2.　**夫婦別姓によって現代の日本社会の崩壊が進む**。例えば、日本の離婚率は急激に上昇する。女性は結婚する際同様、離婚の際にも姓を変える必要がないので、夫婦別姓制度のもとでは離婚はより容易になる。

Separate surnames for married couples will cause a social breakdown in modern Japan. For example, they will dramatically increase divorce rates in Japan. Divorce will become easier under the two family-name systems because women do not have to change their family names when they get divorced as well as when they get married.

　これは、「社会の崩壊」という大きな概念を用いることによって第 2 の理由とオーバーラップしてしまいました。specific に「家族の団結」をポイントにしているので、この主張は「離婚率の上昇」にフォーカスして、第 1 文は "will lead to the disintegration of family" などを用いて変えましょう。それから、名前を変えて同姓にすることだけが離婚の抑止になるかのようなアーギュメントは弱いと言えます。さて、これに対する次の反論はどうでしょう。

反論 1-2. **社会の崩壊と女性が結婚後に姓を選択する権利との間につながりはない。**ほとんどの国では夫婦別姓制度が採用されているが、この制度が離婚率の上昇を引き起こしたという証拠はない。

There is no connection between social breakdown and the right of women to choose their surnames after marriage. Most countries have introduced a two family-name system, but there is no evidence that the system has caused an increase of divorce rates.

これはどうですか。ここでも同じく「社会の崩壊」は「離婚率の上昇」に変えないといけませんが、この反論はなかなか強そうですね。ただ、「国によって文化が違うので、日本に同じことが当てはまるとは限らない」という反論や、「夫婦別姓前と後の離婚率の変化がないという信頼できる明確なデータがあるのか」という反対尋問（cross-examination）をされる可能性があるので、それに対して準備しておきましょう。

次に、夫婦同姓賛成派の2つ目の理由にどう反論したらいいか、考えてみましょう。

賛成派 2-1. **夫婦別姓制度は混乱を引き起こす**

まず、"social chaos" は大げさで、これを social confusion にするのもいまいちで、social problems にすると1の理由も含まれてしまいよくないので、"The separate-surname system will cause a problem with the naming of a newborn baby." のように、specific（明確に限定）にする必要があります。この「混乱」の例として、子どもの姓の問題が挙げられていましたが、インターネット上で公開されている夫婦別姓制度に関するサイトでもこの問題はよく取り上げられていますので、海外の夫婦別姓制度に関する知識がある人なら次のように反論するでしょう。

> 反論2－1. 夫婦別姓を認めている国には、子どもの姓を決めるその国独自の制度がある。例えばスウェーデンでは、夫婦は子どもが生まれた後に姓を決めることになっているが、決まらない場合は母親の姓になる。一方米国では、子どもは通常父親の姓を名乗る。**日本もこれらの国と同様に独自の制度を確立することができる。**
>
> The countries that have permitted separate surnames for married couples have established their own systems of deciding on children's surnames. For example, in Sweden, married couples are allowed to decide on their children's surnames when they are born, but children have their mother's surname when their parents do not come to a decision. On the other hand, in the U.S., children usually have their father's surname. **Japan can establish its own system** as well as these countries did.

　上の発言には、「だからなんだ」にあたる部分が抜けています。つまり、"Japan can establish its own separate surname system without causing a problem with ～" です。

　それから、夫婦別姓反対派は、「混乱」の2つ目の例として、「夫婦別姓だと彼らが結婚しているかどうかが分からない」というのを挙げていましたが、これは話になりません。つまり、「それはプライバシーの問題なので他の人にわかるようにする必要はない」というように反論されてしまい最悪です。

　夫婦同姓の賛成派に対する反論は以上のようになりますが、先程の夫婦別姓推進派の「夫婦別姓は男女平等を推進する」という意見に対しては、「必ずしもそうとは言えず、韓国や中国の夫婦別姓は男女平等の考え方に基づくものではない」といった反論が予想されます。

　では、最後に夫婦別姓について話すときに役立つ表現を載せておきましょう。

「夫婦別姓」について何でも話せる語彙・表現力 UP トレーニング

★ワンランク UP 表現

① 1871 年、日本は**戸籍制度**を取り入れた。

① Japan adopted the **family-register system** in 1871.

② 戸籍制度は、**女性が**妻や母として**男性を支える役割を果たして**きた日本の男性優位主義の典型とも言えるものである。

② The family-register system is a manifestation of male chauvinism in which **women were forced to take supportive roles** as wives and mothers.

③ 新しい法律によって、日本の女性は**公的にも家庭においても男性と同等に扱われる**ようになるだろう。

③ The new law will allow Japanese women to **be treated equally both in public and at home.**

④ 男性が**世帯主になる**のは当然だと思われている。

④ People think it's natural for a man to **head the household.**

⑤ 夫婦別姓制度は**家族の結束感を弱める**。

⑤ A two-family name system **undermines the sense of family unity.**

⑥ 夫婦別姓は**社会混乱を引き起こす**。

⑥ Separate surnames for a married couple **will create social confusion.**

⑦ **旧姓を失うことは自分自身を失う**ようだと感じる女性が増えている。

⑦ More and more women feel that **letting go of their own surnames is like losing themselves.**

5 医学のトピックの Argument 実践トレーニング

医学関係のトピックに強くなる！（Part 1）
Should organ transplants be more available in Japan ?
日本で臓器移植はもっと行われるべきか？

臓器移植の問題点

　日本では死体を大切に思う傾向が強いため、**mutilating a corpse damages its integrity**（死体を切り刻むのはその人格をバラバラにすることであり）、その死体の一部を再利用することは、（**violate the dignity of a life that he/she once lived**）（かつては生きていたその人の人格までも、また何が「人の死」という定義も侵害する）と考えてしまうのです。確かに「人の死」の定義は難しい問題で、現在死亡と判定されるのは心臓停止と、脳死判定の二つです。この脳死 **brain death** が議論を呼び起こしているのは次の2点が原因です。
① 脳死状態になれば約1週間後に心臓も停止するとされていたが、実際には何年も生きるケース（最長では14年5ヶ月）がある。
②「ラザロ徴候」（Lazaro Syndrome）という脊髄反射が、脳死判定後も多く報告されており、中には単なる脊髄反射では片付けられない複雑な動きを、長時間見せる脳死患者も多い。

　さて、日本の臓器移植法は①本人の **written consent**（書面による同意書）と家族の同意が必要②臓器移植に同意できる年齢を15歳以上に限定している、という2点から、世界中でも **"most stringent"**（最も厳しい）と評されています。また一方では、**unique** である、または **most democratic** であるという評価も受けています。脳死か心臓停止のいずれかを「死」と判定し、そのどちらで臓器移植をするか、個人があらかじめ選択し、ドナーカードに意思

表示できるからです。

臓器移植の実態

日本では、2003年1月現在で（社）日本臓器移植ネットワーク（**Japan Organ Transplant Network** http://www.jotnw.or.jp/datafile/index.html）に登録して移植を待っている人が約1万3千人強、います。各学会などの研究発表によると、心臓移植を必要とする患者が年間60～660人、肝臓が3,000人ほど、また部位では腎臓を求めている人が圧倒的に多くなります。

しかし、実際に行われた臓器移植件数は2002年の1年間で143件、臓器提供は脳死判定下で6件、心臓停止後で59件の合計65件です。この数値は毎年同じようなもので、圧倒的に **demand far exceeds supply**（需要に対して供給が追いつかない状態）です。また米国では年間4,500件の臓器提供が行われており、他の先進国と比べても日本での臓器提供・移植件数はかなり少ないのが浮き彫りになっています。

ドナーカードは？

最近はコンビニなどでも見かけるようになった、臓器移植ドナーになる意思を伝えるカード（donor card）ですが、（社）日本臓器移植ネットワークの発表によると1997年10月16日～2002年12月末日までに死亡した人で、ドナーカードを持っていることがわかった人は598人。このうち臓器・組織提供に至らなかった人は241人だったそうです。

臓器移植にかかる値段は？

例えば心臓移植を日本で受けた場合は1,100万円、肝臓は800万円（それぞれ手術費＋術後1年間合併症などの問題が起こった最悪の場合）ですが、海外で受けるとそれぞれ3,300万円、3,200万円という日本移植学会による試算が出ています。

また日本での移植を待ちきれずに米国やオーストラリアなどへ出かけて移植

を受けた人は、1999年末までに心臓49人、肝臓200人強で、この人数は現在も増加する傾向にあります。

臓器移植に賛成派の意見

Q. 賛成派がその理由を話し、それに対して反対派が反論していますが、ちょっとおかしい点があります。わかりますか？

I am for more organ transplants for the following two reasons.

Firstly, **they can save many people's lives.** The fact is that the demand for organ transplants far exceeds the supply, counting only about 50 organ donations per year in Japan, while more than 13 thousand patients are waiting for their turn to receive a healthy organ. In order to save more lives, organ transplants should be promoted and made more available.

Secondly, **organ transplants will contribute greatly to advances in medical science.** Organ transplants are not limited to the human body these days. With advancement in regeneration engineering, the day when organs are created from a single cell is not far away. Together with other technologies, organ transplants will advance medical science.
（116語―46秒）

Words & phrases

☐ **organ donation** 臓器提供　☐ **regeneration engineering** 再生工学

賛成派の主張

① **より多くの命を助けることができる。**現実は需要が供給をはるかに上回り、日本では1万3千人が健康な臓器を待っているのに対し、実際には年間50件程度の提供しかない。より多くの命を救うためにもっと臓器移植を進めて、どんどん行うべきである。

② **臓器移植は医学の進歩に多大な貢献をもたらす。**今日の臓器移植は人間の体の部位を移植するだけにとどまらない。再生工学の進歩とあいまって、一

つの細胞から臓器が作られる日は近い。故に臓器移植は医学を進歩させる。

賛成派に反論してみよう！

どう反論するか決まりましたか？ ではちょっとおかしい反対派の反論を一緒に見ていきましょう。どうおかしいか、自分で考えてみてください。

> 賛成派 1-1.　より多くの命を救うことができる。

ここで賛成派は、実際のデータを出して具体的にサポートをしています。これだけの人数が健康な臓器があれば健康を取り戻す可能性があるのだから、臓器移植をもっと頻繁に行うべきであるというのはとても強い理由となっています。

> 反論 1-1.　臓器提供のための闇市場や臓器濫用といった問題が起こる
>
> **There are potential problems such as black organ markets and organ abuse.**

この black market は、反対派が強く懸念している点です。特に臓器を売ってでも **hard currency**（ドル、ドルに交換できる通貨）を得たい、という貧しい層を搾取するような可能性もあるからです。またそういった貧しい人たちの臓器は、えてして栄養の偏りなどからあまり健康とは言えない状態にある場合や、伝染性の病気などを抱えている場合も多く、危険性も高くなるわけです。そういった点を懸念してこう反論してきましたが、**おかしい点に気がつきましたか？**

そうです。賛成派の「より多くの命を救うことができる」を全然反論していません。賛成派の1に反論しようと思えば、ここは「いや、助けることはできない！」と言い、その証拠を持ってくるしかないのです。そこで次のように変えましょう。

> 反論 1-1.　**臓器移植では多くの命を救うことができるとは言いがたい。**移植後臓器の拒否反応を起こしたり、病気を再発したりして亡くなっている人は多い。

> **It's premature to conclude that organ transplants can save many lives.** After transplants, many patients have died because of rejection or a relapse.

　この反論の根拠になっているのは、日本臓器移植学界などで発表されている「移植後の病状は必ずしも良くならず、例えば心臓移植の場合、北米の最新の推計で 20% の患者ではかなりの改善をみるものの、20% は種々の合併症で死亡、残る 60% は極めて深刻な状態にあると言われている。」といった報告に基づいています。

　賛成派としては、そういった報告があることも知っていなくてはなりませんが、一方には心臓移植の世界統計を見れば、1988 年以降の心臓移植後の生存率は移植後 1 年で 82%、3 年で 76% という頼もしい数字もあるのです。最新の統計では移植後の 1 年で 92% の人が生存しているという報告もあり、生存者の 98% が通常の生活を送ることが可能となっているというものもあります。こういった資料を基にして、賛成派としては次のように言いましょう。

> 賛成派 1-2.　最新の統計が示すように、移植後 8 割以上の人がめざましい回復をし、順調な予後を送っている。**移植は多くの人の命を救えるのだ。**

　The latest statistics show that more than 80% of patients had convalescence after organ transplant, showing dramatic improvement in prognosis. The findings cleary indicate that **organ transplant can save many people's lives.**

　統計には 2 面性がつきもので、数字をどう解釈するかは、自分がどういった立場を取るかによります。

さて賛成派 2 つめの理由は

> 賛成派 2.　**臓器移植は医学の進歩に多大な貢献をする**

というものです。そして臓器は生身の人間のパーツを移植するばかりではなく、再生工学によって細胞から作り出されたパーツを移植することも可能になる、と言っています。

これを崩すことができない場合は、それを認める上で弊害を述べたり、また反対派の持論である「倫理や自然に反する」を訴えていくのがいいでしょう。

反対派 2-1. 体を切り刻むことで**人間の尊厳を奪ったり、人間の体を作りだすというのは反倫理的**で、それが医学の進歩といえるか？

It is totally **unethical to violate human dignity by cutting them into pieces to regenerate human body parts.** How can we call such atrocities medical advancement?

ダイレクトに反論できないらしく倫理に訴えてきました。倫理にかなっているかどうか、の議論になると、宗教も絡んでくる場合があり、なかなか複雑になります。皆さんには是非一度この臓器移植が各宗教の下ではどのように解釈されているか、受け入れられているのか否定されているのか、など確かめていただきたいものです。

また脳死判定についても、特に日本人が脳死に対して反感を抱く傾向がある、とよく報道されていますが、実際には欧米でもかなり強い抵抗があり、脳死を死の判定材料からはずそうかという動きが米国では起こっています。生死に関する捉え方というのは複雑ですので、先入観にとらわれず、幅広く調査すると意外な発見も多いものです。

さて本題に戻り、賛成派は次のように反論しましょう。

賛成派 2-2. 倫理観は個人の主観の問題であり、現実に**人命を救うことができる科学の進歩を優先**させるべきである

Such things as moral or ethics are less important than advancement in medical science . **A top priority should be given to saving people's lives,** putting scientific progress before anything else.

では、反対派の意見の作り方の一例を示しておきます。

反対派の意見

> I am against organ transplants for the following two reasons.

First, **the definition of brain death still remains unclear.** Although under the organ transplant law the brain death is defined as human's death, bereaved families are reluctant to admit that their loved one has departed in the case of brain death. Recent scientific studies show many strong cases that run counter to the belief that brain death means the complete end of life.

Second, **it will cause exploitation and even organ-related crimes,** including black markets of organ transplants. To meet the excessive demands for organs, some organ transplant coordinators will try to procure more and more organs, probably exploiting the poor who are willing to part with their organs for a small amount of money. In worst cases, it will give rise to illegal organ trafficking.（125語— 50秒）

Words & phrases

- **bereaved family** 遺族　□ **organ-related crimes** 臓器関連の犯罪
- **procure** 調達する　□ **exploit** 搾取する　□ **part with** 手放す
- **traffic** 売買（する）

反対派の主張

① **脳死の定義があいまい**なままである。臓器移植法の下では、脳死は人の死とされているが、脳死では遺族にとっては死んだとは認めがたい。また最近の研究で、脳死判定イコール完全な死とは思いがたいような症例が多く報告されている。

② 搾取や闇市場といった**臓器関連の犯罪**が起きるだろう。圧倒的に多い需要を満たそうと、より多くの臓器を調達するため、中には少額の金と引き換

えに自分の臓器を売り渡そうという貧しい者を搾取するコーディネーターも出てくるだろうし、最悪の場合は臓器の不法売買が起こるだろう。

いかがですか？　人間の生死に関わる問題は、語ることが難しいものです。現在臓器売買はイラク、インド、トルコ、中国、ロシアを除いて、違法とされています。中国では死んだ囚人から取った臓器売買が行われています。
　また先ほど軽く触れた宗教による違いも少しここで述べておきましょう。

Buddhism（仏教）…………完全に個人の問題とみている
Baptist（バプテスト派）……個人の問題としてみながらも、臓器提供は慈善行為として奨励している
Catholicism（カトリック教）…臓器提供は愛と慈善に満ちた行為であるとし、バチカンも臓器移植は認めている
Hinduism（ヒンズー教）……臓器移植を禁止する定めは何もない
Islam（イスラム教）…………人命を救うことは大切であり、臓器移植も人命救助の観点から高貴な手段であるとして許可している
Mormon（モルモン教）……家族、医療関係スタッフ、そして求める人との関連性で個人が決めるべきこと

「臓器移植」について何でも話せる語彙・表現力 UP トレーニング

★ ワンランク UP 表現

① 臓器の需要は供給をはるかに上回るので、たくさんの患者が移植の**順番を待っている**。

① As demand for organ transplants far exceeds supply, many patients are **waiting for their turn** to receive an organ.

② 移植手術のあと、臓器の**拒否反応や病気の再発が原因で死亡し**た人は多い。

② After organ transplant surgery, many patients **died from rejection or a relapse.**

③ 体を切り刻んで人間の尊厳を奪う行為は、**反倫理的である**。

③ **It is unethical to** violate human dignity by cutting the bodies into pieces.

④ 人命救助**を最優先すべきであ**る。

④ **A top priority should be given to** saving people's lives.

⑤ モラルや倫理**よりも**科学の進歩**を重視**すべきである。

⑤ People should **put** scientific progress **before** ethics.

⑥ 脳死イコール死という見解**に矛盾**する症例が、最近の研究で数多く報告されている。

⑥ Recent studies show many cases that **run counter to** the belief that brain death means the complete end of life.

医学関連のトピックに強くなる！（Part 2）
Should abortion be abolished？
妊娠中絶は廃止されるべきか

妊娠中絶（**abortion**）は、日本ではあまり問題になることはありませんが、アメリカやイギリス、アイルランドなどの欧米諸国では、かなり事情が違ってきます。

アメリカにおける、妊娠中絶の是非をめぐる論争

19世紀には、アメリカのほとんどの州で、妊娠中絶は犯罪とみなされていました（**Abortion was considered sinful, and thus criminalized.**）が、実際には不法妊娠中絶（**back-street abortion**）は、家族の人数制限のため最も一般的な方法（**the most popular way to limit the size of families**）でした。

1973年には、女性の妊娠中絶権を支持した最高裁の画期的な、ロウ対ウエード判決（**Roe v. Wade, the landmark U.S. Supreme Court Ruling on abortion, supporting a woman's right to choose**）が下されましたが、30年以上経った現在でも、激しい論争が続いています。

これは、テキサス州法（母体救済目的以外の妊娠中絶を犯罪とする）を違憲（**unconstitutional**）としたもので、世論を二分する激しい論争を巻き起こしました。反対過激派が、中絶手術を行う医師（**abortion provider**）を襲う暴力事件が多発し、例えば、1998年には **Barnett Slepian** という医師が射殺されています。

反対派の運動により、妊娠中絶規制が立法化された州もいくつかある反面、中絶権を支持する意見（**abortion right advocates**）も根強く、論争は膠着状態です。ちなみに中絶賛成派は **pro-choice**、中絶反対派は **pro-life** と呼ばれています。

ヨーロッパでは？

　イギリスでも、19世紀には、妊娠中絶は犯罪とみなされていました（**Abortion was outlawed.**）が、やはり不法妊娠中絶もよく行われていました。1967年の **Abortion Act** で、医学的な根拠に基き（**on medical grounds**）医者が勧めた場合の中絶は合法化されましたが、妊婦の要求による産児制限（**birth-control**）目的の妊娠中絶（**abortion on demand**）は認められていません。アイルランド（**Ireland**）は、妊娠中絶を一切非合法化している（**outlaw all abortions**）世界で唯一の国ですが、それはカトリック教（**Catholicism**）の影響力が強いためです。イタリアでは、妊娠第一期（**the first trimester**）での中絶が許されています。

　それでは、まず、妊娠中絶反対派、つまり **pro-life** の主張を見てみましょう。

Q. 以下の主張はわかりにくいところが多いですが、どのように反論したらいいかを考えてみましょう。

　I believe that abortion should be abolished for the following two reasons.

　Firstly, **abortion could be the murder of an unborn child.** Since we cannot be sure at what point a fetus is a person or can feel pain, we should err on the side of caution and consider the fetus a person from conception or shortly afterward.
　Secondly, **abortion is an act against the will of God and it destroys God's work.** A pregnancy is a gift of God, and God creates each individual at conception, infusing a fetus with a soul. This is why many people deem abortion evil. The government should prohibit such an act.
（108 語— 44 秒）

Words & phrases

- fetus 胎児
- should err on the side of caution 慎重の上にも慎重になるべきである
- conception 受胎   □ pregnancy 妊娠
- infuse ~ with... ~を…で満たす   □ deem 思う

Pro-life の主張

① **妊娠中絶というのはまだ生まれていない子どもを殺すことである。**（妊娠の）どの時点で胎児が人間であるか、また痛みを感じるかが分かっていないので、私たちは慎重の上にも慎重になって、胎児は受胎のとき、あるいはそのすぐ後から人間なのだと考えるべきである。

② **妊娠中絶は神の仕事をぶち壊しにする**、神の意思に反する行為である。妊娠は神からの贈り物であり、神は胎児に魂を吹き込んで、受胎の時に1人1人の人間をつくるのである。そのため多くの人々は妊娠中絶を悪とみなしているのであり、政府はそのような行為を禁止すべきである。

次に、上記の主張に対する反論を考えていきましょう。

> 中絶反対派 1-1．妊娠中絶というのはまだ生まれていない子どもを**殺すこと**である。

pro-life の主張のうち、一番説得力のあるものはおそらくこれでしょう。反論するのは一見難しそうに見えますが、どうでしょうか。妊娠中絶が殺人である、というのは、まだ生まれていない子ども、つまり胎児を人間とみなしているからです。胎児を人間とみなすことができるかどうかには議論の余地があります。

> 反論 1-1．妊娠約 28 週目までは**胎児は非常に未発達なので、それを人間だと考えるのは不合理である。**だから、妊娠中絶が殺人であるとはいえない。
>
> Up to around 28 weeks **a fetus is so undeveloped that it is not**

reasonable to consider it a person.** Therefore, you cannot call abortion "murder".

　何だか弱い反論ですが、それは法的根拠や統計でなく、個人の主観に基いているからなのです。まあ百歩譲って反論と認めましょう。では、これに対して、**pro-life** の側はどう答えることができるでしょうか。本当に、妊娠約 28 週目までの胎児を人間とみなすことはできないのでしょうか。背景知識があれば、以下のように言うことができます。

中絶反対派 1-2.　**胎児は妊娠 20 週目からは早産でも生き延びることができ、進歩した保育器技術によって、この 20 週という限界線は常に短くなっている。**

　A fetus can survive if born prematurely from as early as 20 weeks, and this boundary has been made increasingly shorter by improved incubation technology.

　つまり、将来は技術の進歩により、胎児が未発達でも、生まれれば生き延びる可能性が高くなるので、妊娠中絶は、生き延びる可能性があるものを殺すことになり、殺人と等しい、というわけです。
　これにさらに反論するにはどうすればいいでしょうか。「もう降参！」という人もいるかもしれませんが、そう簡単にあきらめてはいけません。たとえ妊娠中絶を殺人とみなすことが可能であっても、妊娠している女性の母体が危機に瀕している場合は、その女性の命を救うことが優先されるべきでしょう。

反論 1-2.　**母体の健康を守るために必要とされるなら、妊娠中絶は認められるべきである。まだ生まれていない子どもを救うためにその母親を殺すことはできない。**

　Abortion should be allowed **if it is necessary to protect maternal health.** You cannot kill a woman to save her unborn child.

これも 38 度くらいずれてしまいましたね。そうです、ここで反論するのは、何週目からを人間として扱うか扱わないかです。
　次に、**pro-life** の 2 つ目の理由に反論してみましょう。2 つ目の理由は以下のようなものでした。

> 中絶反対派 2-1．妊娠中絶は神の仕事をぶち壊しにする、**神の意思に反する行為**である。

　こう主張する人は、キリスト教国である欧米諸国には大勢います。こういった宗教的な見地は信条なので反論しにくいですが、それに対する反論には以下のようなものがあります。

> 反論 2-1．世の中はだんだん非宗教的、科学的になっているので、受胎時に神が魂を注入するという**一部の人々による宗教的な見方を、人に押し付けるべきではない。**
>
> In an increasingly secular and scientific world, **the religious views of some people** about the infusion of a fetus with a soul by God at conception, for example, **should not be imposed upon the rest of society.**

　そうきましたか、社会の「趨勢」、いわゆる "ethos" を用いて切り返すとはなかなかやりますね。それに対して **pro-life** の人はどう反論したらいいでしょうか。同じく ethos を用いて、「キリスト教国では妊娠中絶を悪と見なしている人が多いので、彼らの意見も尊重されるべきだ」と反論することができるでしょう。

> 中絶反対派 2-2．現代の世界においても、**多くの人々はまだ、妊娠中絶は罪深いことだと考えており、**そのような人々の意見も民主主義の社会では尊重されるべきである。

Even in the modern world, **many people still consider abortion as sinful**, and their opinions should be respected in a democratic society.

このように、宗教・倫理的な問題や "ethos" に訴えるやり方ではアーギュメントが平行線になりやすいので、前述のように、「いくら多くの人が反対していても、母体が危機に瀕しているなどの特別な場合は妊娠中絶を認めるべきだ」というメリット・デメリットの議論に話を展開させることです。何らかの問題について「白黒」に割り切って討議するとき、"right or wrong（善悪の判断）"と"good [beneficial] or bad [not beneficial/harmful]（損得の判断）"の2つの"dichotomy（二律背反）"が考えられますが、社会問題をディベートするときは後者のメリット・デメリットについて討論しないと、前者は"charged（激論を招く）"、"ticklish（扱いにくい）"で埒があかなくなる場合が多いのです。

それでは最後に、妊娠中絶支持派（**pro-choice**）の立論の例を紹介しておきますので参考にしてください。

Pro-choice の主張

I do not think that abortion should be abolished for the following two reasons.

First, **women have the right to decide whether or not to have a baby.** It is a decision that involves her body, and she ultimately should control what happens to it. It is primarily men who favor outlawing all abortions as they and their male-dominated religions do not trust women to govern their own bodies.

Second, **abortion should be permitted if it is necessary to protect maternal health.** In some cases, carrying pregnancy to term causes severe mental distress to women. For example, those who are pregnant as a result of rape or incest would have their suffering multiplied by carrying the baby to term.（106 語— 42 秒）

> **Words & phrases**

☐ **male-dominated** 男性優位の　☐ **govern** 管理する
☐ **carry**（女性が子どもを）身ごもっている
☐ **term** 妊娠期間の終わり、出産予定日　☐ **incest** 近親相姦
☐ **multiply** 増加させる

> **賛成派の主張**

① 女性には、**子どもを望むかどうかを決める権利がある**。女性の体に関わる決断であり、最終的には女性が自分の体に起こることをコントロールするべきなのである。あらゆる妊娠中絶を非合法とすることに賛成しているのは主に男性で、それは、男性優位の宗教が、女性は自分自身の体を管理できないと信じているからである。

② **母体の健康を守るために必要とされるなら、妊娠中絶は認められるべきである**。出産予定日まで妊娠していることが、深刻な精神的苦痛を引き起こす場合もある。例えば、レイプや近親相姦の結果妊娠した場合、妊娠期間の最後まで身ごもっていることには、苦痛である。

　pro-choice の人々は、上記の1つ目の理由をよく述べています。先ほどご紹介した、**pro-life** の意見を参考にこの主張に対する反論も考えてみると、勉強になると思います。

　では、最後に妊娠中絶について話すときに役に立つ語彙、表現を挙げておきます。

「妊娠中絶」について何でも話せる語彙・表現力 UP トレーニング

① 妊娠中絶は**道徳的に間違っている**。

② **妊娠中絶を違法化**しても、この慣習はなくならず望ましくない結果を引き起こすだけであろう。

③ アメリカ人は、**妊娠中絶を制限付きで合法のままにしておくこと**に賛成している。

④ 昔は、ほとんどの地域で、**母親の健康**のために妊娠中絶が必要とされる場合にのみ、妊娠中絶は法的に許された。

① Abortion is **morally wrong [unethical]**.

② **Outlawing abortion** would not eliminate the practice, but will only have undesirable consequences.

③ Americans favor **keeping abortions legal with some restrictions [giving qualified approval to abortion]**.

④ Formerly, abortion was legally permissible in most areas only if **the welfare of the mother** required it.

★ワンランク UP 表現

① 国が妊娠中絶を禁止することは、**憲法で保障された、女性のプライバシーを侵害する**ことになる。

② もし妊娠中絶が禁止されたら、女性は**妊娠を中絶する**、違法で危険な他の**方法**を見つけるだろう。

③ 世界の主要な宗教の何十億もの信者によって認識されているように、**人間の命は神聖なもの**である。

① The State's prohibition of abortion would be **an unconstitutional invasion of women's privacy.**

② If abortion were banned, women would find other illegal and unsafe **means of aborting pregnancies.**

③ **Human life is sacred,** as is recognized by billions of adherents of the major world religions.

6 エコロジーのトピックの Argument 実践トレーニング

> 環境問題のトピックに強くなる！（Part 1）
> **Should endangered species be protected ?**
> 絶滅の危機に瀕した動物を救うべきか？

危険にさらされている動物たちは!?

　科学者たちによれば、地球上に生存する種は 150 万種以上ともその 20 倍になるとも言われていますが、存在が確認され学名（**scientific name**）を与えられている種はそのほんの一部です。その中で、合衆国では 496 species of animals（496 種の動物）が絶滅の危機に瀕するとしてリストに載せられており、世界中では 1,000 animal species になります。こういった動植物を保護するエリアは公園などを含めて、世界中で 2 million square miles（約 200 万平方 km）となり、これは地表の約 3％です。

　では実際にどういう動物達が危機に瀕しているか見ていきます。

①哺乳類（**mammals**）
　African elephant（アフリカ象）Asian elephant（アジア象）right whale（セミ鯨）blue whale（しろながす鯨）fin whale（ナガス鯨）

②霊長目（**primates**）
　golden lion tamarin（ゴールデン・ライオン・タマリン）
　spider monkey（クモザル）aye-aye（アイアイ/ユビザル）
　gorilla（ゴリラ）red wolf（アメリカオオカミ）
　Amur leopard（アムール豹）Anatolian leopard（アナトリア豹）Asiatic cheetah（アジアチータ）Florida cougar（フロリダクーガー）
　snow leopard（ユキ・ヒョウ）Texas ocelot（テキサスオセロット）
　tiger（トラ）giant panda（パンダ）lesser panda（レッサーパンダ）

③有袋類（**marsupials**）

pygmy-possum（マウスオポッサム）wombat（ウォンバット）
これらはほんの一部で他にもげっ歯類（**rodents**）、貧歯類（**edentates**）を始め、鳥、魚、蝶、蛙など数多くの動植物が絶滅の危機に瀕しているのが現状です。

動物たちを絶滅の危機へと導くものは!?

① 居住地の破壊（**habitat destruction**）
　ゆっくり起こる自然の変化には、ほとんどの生物がついていけますが、急速な変化が起こると、新しい環境になじむのにほとんど時間がないため、往々にして悲惨な結果（**disastrous consequences**）になりやすく、実際急速に居住地を失うこと（**rapid habitat loss**）が絶滅の危機に瀕する主な原因となっています。
　そしてこの急な変化は、ほとんどが人類の活動によって引き起こされており、熱帯雨林での **the loss of microbes in soils**（土中における微生物の損失）、海域での **the extinction of fish and various aquatic species**（魚や他の海洋生物の消滅）そして、**changes in global climate**（地球規模での天候の変化）など深刻な問題を引き起こしています。

② 外来種を持ち込むこと（**arrival of exotic species**）
　在来種（**native species**）は、その決まった地域（**particular biological landscape**）に長年生息し、溶け込んでいるわけです。そこへ意図的であれ偶然であれ人間の活動により exotic species が持ち込まれるということは、外的要素（**foreign elements**）となり、うまく溶け込むものもあれば、繊細な生態系（**delicate ecological balance**）を破壊し、最悪の場合は在来種を捕食（prey on）し、自然環境（the natural habitat）を変え、より厳しい生存競争（**struggle for survival**）を生み出します。

③ 乱獲（**overexploitation**）
　20世紀に行われた無制限の捕鯨（**unrestricted whaling**）が乱獲のいい例です。また動物の体の一部から薬を作るアジアでは、サイの角（rhino horns）やトラの骨（tiger bones）などに対する根強い市場が乱獲を引き起こしています。

④その他（**other factors**）
　病気（disease）、公害（pollution）など。

いかにして動物たちを守るか！？
　動植物を守るために次のような方法が考えられています。
① 生息地の保護（**conserve habitats**）
② 野生のためのスペースを確保する（**keep wildlife preserves**）
　　（鳥のえさかごを庭に設けたり、植樹したりする活動
③ 動植物移入規制（**control the invasion of plants and animals**）
④ 保護団体に加盟して協力する　**join conservation groups**

　タイムの記事には、「これからは **zoning** の時代、つまり野性動植物と人間がゾーニングによってうまく共存するしかない」とし、次のような方法が提案されていました。
① **debt-for-nature swamps**（借金自然相殺）　発展途上国の借金は、自然環境を守れば相殺になる。
② **carbon credit offsets**（二酸化炭素現金相殺）　京都議定書（Kyoto Protocol）の下、二酸化炭素を削減しなくてはならない先進国が、熱帯雨林を伐採しないことでその国に代金を支払い、その金額と二酸化炭素量を相殺する。このシステムで伐採されていない森林の値打ちも上がる。
③ **wildlife corridors**（野生地帯）　生息に広大な地域を必要とするトラや熊などの大型動物のために、野生動物が roam（徘徊する）できるように広大なエリアを結ぼうという計画。カナダの Yukon（ユーコン）と Wyoming（ワイオミング州）にある Yellowstone National Park（イエローストーン国立公園）を結ぼうという提案もある。

　この他にもいろいろな案があります。いずれにしても人間が他の動植物の絶滅を引き起こしているのですから、責任を取らなくてはならないという考えが主流となっているようです。

絶滅の危機に瀕した動物を救うべきだという意見

Q. 賛成派がその理由を話していますが、どう反論しますか？

I think endangered species should be protected for the following two reasons.

Firstly, **protecting one species equals protecting the entire ecosystem.** The extinction of one species will have an impact on some other species and gradually on human beings, which top the food chain. After all, protecting various species protect human beings.

Secondly, **plants and animals hold priceless value and bring human beings a lot of benefits** in terms of medicinal, agricultural, ecological, commercial, aesthetic and recreational value. Our life will be chaotic, without those plants and animals. We have to protect endangered species so that future generations can enjoy their presence and value.
(94 語— 38 秒)

Words & phrases

- **species** 種（単複同形）
- **extinction** 消滅、死滅
- **food chain** 食物連鎖
- **aesthetic** 美の【名】美学
- **chaotic** 混沌とした

賛成派の主張

① **一つの種を保護することは生態系全体を守ることになる**。一つの種が絶滅すれば他の種にも影響があり、ひいては人類にも影響が及んでくる。人類は食物連鎖の頂点に位置するのだから、さまざまな種を保護することは人間を守ることにもなるのだ。

② **動植物にはかけがえのない価値があり、人間に多大な恩恵をもたらしてくれる**。薬、農業、環境、商業、美観、休養といった面から、貢献してくれている。動植物がいなければ人間の生活は混沌としたものになるだろう。次世代のためにもどのような種も守らなくてはならない。

> **賛成派に反論してみよう！**

どう反論するか決まりましたか？

> 賛成派 1-1. **一つの種を保護することは生態系全体を守ることになる。**

　食物連鎖の頂点にいる人間にとって、他の動植物なしではいずれ自分達が困ることになる、というのは自然保護活動家や動物愛護活動家たちが一番に挙げる強い理由です。これに反対する意見としては次のような考え方があります。

> 反論 1-1. **人間の介入により生態系全体のバランスを崩すこともある。** 一つの種を守ったつもりかもしれないが、その種を生存させたことで他に滅ぶ種が出るかも知れず、人間が自然界に介入してその結果が出るのは、かなり時間がたたないとわからない。
>
> **Human intervention can disturb the balance of the entire ecosystem.** Although you might be pleased to think that you have saved one species, the actual consequence of the conduct, which is illustrated by another extinction caused by the species you have saved, will be clear after a long time.

　人間の活動が原因であれ、絶滅する種は絶滅するようになっており、それも自然淘汰の一つであるという考え方があります。これには、やはり人間の経済活動は自然界の営みではないと主張していくしかないでしょう。

では次に賛成派の2つ目の意見を見ましょう。

> 賛成派 2-1. **動植物にはかけがえのない価値があり、人間に多大な恩恵をもたらしてくれる。**

これに反論するとすれば、動植物には価値がなく、人間に恩恵をもたらすことはない、としなくてはなりません。

> 反対派 2-1. **動植物そのものには何ら特別な価値があるわけではない。**動植物を利用して価値があると決めているのは人間であり、自分勝手な見解を展開しているのである。
>
> **Animals and plants do not hold any special value as they are.** It is human beings that exploit those species and value them arbitrarily, pushing their egoistic ways of viewing animals and plants.

こう反論されれば、皆さんならどうしますか？

> 賛成派 2-2. **価値がない生き物など存在しない。皆それぞれの価値を持ってこの地球上に生きているのだ。**動植物を価値ある生命体として尊重し、人間が原因で滅ぼすようなことはすべきではない。
>
> **Every creature has its own value and raison d'etre.** Human beings should place more value on plants and animals and should not kill any species.

ちょっと弱いアーギュメントですが、なかなか反論しにくいですね。ちなみに、人間はこの地球上で一番強い生き物であるから、他の弱い生き物を守るのに、理由などない、It is just the right thing to do.（そうして当然なのだ）と言ったのは、熱帯雨林を案内している人の言葉です。皆さんはどう思いますか？

では、反対派の意見の作り方の一例を示しておきます。

反対派の意見

I am against the protection of endangered species for the following two reasons.

Firstly, **it is unnatural to save a species that is heading for extinction.** Those species in danger of extinction are to be terminated sooner or later as part of natural selection. Therefore, we should leave them as they are, whatever may happen to them. After all, protecting endangered species is another form of meddling in the natural environment.

Secondly, **it can undermine the ecosystem.** Any kind of human activities can have profound impacts on the natural environment. In a short-sighted view, people think that helping other species is unconditionally the right thing to do. The real consequence, however, is totally unpredictable. In any case, we should not interfere with the mother nature. (116 語— 46 秒)

Words & phrases

- **extinct**=dead
- **natural selection** 自然淘汰
- **terminate** = end, abort, cease
- **meddle in** 余計な手出しをする
- **profound impacts** 計り知れない影響
- **consequence** 結果、重要性
- **interfere with** 〜に干渉する、邪魔する

反対派の主張

① **絶滅する運命にある種を救うのは不自然だ**。遅かれ早かれ自然淘汰の一部として、こういった種は消えるのだ。故に自然のままにほっておくべきである。絶滅の危機に瀕した種を保護すること自体、自然環境に不必要な干渉をしていることになる。

② **生態系のバランスを崩すことになる**。人間の営みが自然環境にもたらす影

響は計り知れない。人間は近視眼的に、他の種を救うことが疑う余地もないほど正しいことだと思っているが、その本当の結果は全く予測不可能である。いずれにせよ人間は大自然に介入すべきではない。

「エコロジー（絶滅危惧種）」について何でも話せる語彙・表現力UPトレーニング

★ ワンランク UP 表現

① 一つの種が絶滅すれば、他の種も影響を受け、ひいては**食物連鎖の頂点に立つ**人類にも影響が及ぶことになる。

① The extinction of one species will impact on some other species and gradually impact on human beings **at the top of the food chain.**

② 人間の介入により**生態系全体のバランスが崩れる**こともある。

② Human intervention can **disturb the balance of the entire ecosystem.**

③ **絶滅する運命にある**種を救うのは不自然だ。

③ It is unnatural to save a species that **is heading for extinction.**

④ 絶滅の危機に瀕した種を保護することは、自然環境に**干渉する**ことでもある。

④ Protecting endangered species is another form of **meddling in** the natural environment.

⑤ 動植物**には**計り知れない**価値があり**、人間は多大な恩恵を受けている。

⑤ Plants and animals **hold** priceless **value** and bring human beings a lot of benefits.

⑥ **絶滅危惧種の保護活動には**、生息地の保護や動植物移入規制**などがある。**

⑥ **Efforts to save endangered species include** habitat conservation and the control of the invasion of plants and animals.

⑦ 人間の営みによる環境破壊は、**取り返しのつかない事態**を招く。

⑦ The damaging effects of human activities on the natural environment are **irreversible.**

環境問題のトピックに強くなる！（Part 2）
Pros and cons of ecotourism
エコツーリズムは是か非か

ecotourism という言葉が最近盛んに使われるようになってきました。「ecotourism についてどう思うか」、「ecotourism の問題点は何か」、というようなトピックは、英検1級や通訳ガイドの2次試験でもよく出題されます。このトピックについて話すためには、まず以下のような知識が必要です。

ecotourism とは何か

実際にはこの言葉に明確な定義はありません。この言葉は、eco（ecology）+tourism、つまり、生態系（自然環境）に配慮した観光という意味で、何やら漠然としています。

具体的に目指していることを知るには、国連が定めた国際エコツーリズム年（**the UN International Year of Ecotourism**）である2002年にカナダ・ケベックで開催された、**the World Ecotourism Summit** で採択された「ケベック宣言（**Quebec Declaration**）」を参照するといいでしょう。この宣言によると、ecotourism の原則の主なものは以下の3点です。

① 自然と文化遺産の保護に積極的に貢献すること（**make aggressive efforts in the conservation of nature and cultural heritage**）
② 計画、開発、運営において、地元や先住民のコミュニティーを参加させ、彼らの生活向上に貢献すること（**involves local and indigenous people in its planning and operation for their well-being**）
③ 訪問地の自然や文化遺産を訪問者に理解させること（**enlightens visitors about the natural and cultural heritage of the destination**）

また日本のエコツーリズム推進協議会（JES）では、「資源の保護＋観光業の成立＋地域振興の融合をめざす」観光の考え方の一つとして定義しています。**Quebec Declaration** と JES の定義に共通なのは、「自然、文化の保護」、「地

域振興」、「旅行者の自然、文化遺産とのふれあい」、が重視されているということです。

世界の ecotourism の現状

　ecotourism が成功している地域または国としては、**eco-tour**（エコツアー、環境に配慮した観光旅行）発祥の地であるコスタリカ、ガラパゴス、そして最近では南太平洋のフィジーなどが挙げられます。
　例えば、コスタリカでは 1980 年代から国家政策として ecotourism を推進し、自然保護と観光立国を両立。熱帯雨林（**tropical rainforest**）や自然保護区（**nature preserve**）の自然観察ツアーやジャングルクルーズなど多彩で、現在では観光収入（**tourism revenue**）が農産物の輸出を凌ぐほどになっています。

日本のエコツーリズムの現状

　日本で最初に ecotourism が導入された地域は、1996 年にエコツーリズム協会が誕生した西表島です。ここでは、トレッキングツアーやカヌーツアーなどの **eco-tour** が行われています。そのほかにも屋久島、小笠原諸島でも **ecotourism** が導入されています。

エコツーリズム反対派の意見

　さて、今回は反対派の意見から聞いてみましょう。皆さんは、賛成派になって、どう反論するか考えてみてください。

I am against ecotourism for the following two reasons.

　First, **the mere presence of ecotourists damages the environment.** Tourism often interferes with the natural processes of an ecosystem such as breeding and feeding. For example, hotel construction and many motorboats make negative impacts on ecologically fragile areas.

　Second, **ecotourism has not contributed toward revitalizing the**

local economy. Ecotourism rarely takes place in the wilderness, which brings few economic benefits to the local economy. In addition, much of the money spent by tourists is spent outside host countries. It is estimated that less than half of the profit made by ecotourism in Costa Rica leaks back into local communities. (112 語 ― 45 秒)

Words & phrases
- **ecotourists** エコツーリズムの参加者
- **revitalizing the economy** 経済を活性化させる

反対派の主張
① **エコツーリズムの参加者がいるだけで環境を破壊する**。観光はしばしば繁殖や採食のような生態系のナチュラルプロセスの妨げとなる。例えば、ホテル建設、たくさんのモーターボートなどは生熊系の脆弱な地域の環境に悪影響を与えている。

② **エコツーリズムは地域経済の活性化に貢献しない**。エコツーリズムは野生の中で行うことが少なく、地元経済にもたらす経済的利益がほとんどない。また、旅行者が使うお金の大半が旅行者の滞在国以外で使われている。コスタリカのエコツーリズムで得られた利益のうち現地に流れ込んでいるのは半分にも満たないと推定されている。

反対派にどう反論するか、考えがまとまったでしょうか。それでは、一緒に見ていきましょう。

> 反対派 1-1. **エコツーリズムの参加者がいるだけで環境が破壊される**。

確かにその通りだ、と思った人も多いと思います。それでも簡単にあきらめず次のような反論はどうでしょう。

> 反論 1-1. エコツーリズムは完全ではないが、それでもなお環境に与えるダメージを大きく減らすので**従来の観光よりははるかに良い**。

> Though ecotourism is not perfect, greatly reducing environmental damage is still significantly better than continuing with current practices.

まあ言いたいことはわかりますが、アーギュメントとしては問題があります。エコツーリズムが環境に害を与えると反対派が主張しているのに、「環境に与える害を大きく減らす」と何の証明も述べずに当たり前のように論を進めており、"continuing with current practices" も不明瞭です。そこで次のように変えれば良くなります。"Ecotourism is not a cure-all, but the fact remains that it does contribute to environmental protection and is much better than the current practice of environmental degradation." なおこの反論をサポートするために、次のように従来の観光事業とエコツーリズムの違いを述べるともっと説得力が増します。

> 反論 1-1. 伝統的な意味での観光は、環境を破壊してきた特権を持つ西洋人の搾取的な慣例であった。一方、エコツーリズムは**自然環境に敬意を払うことに焦点を置いている。**
>
> Tourism, in the traditional sense, has been the exploitative practice of white, privileged Westerners who have damaged the environment. On the other hand, ecotourism **is focused on veneration for nature.**

次に、反対派の 2 つ目の理由に対する反論のしかたを考えてみましょう。

> 反対派 2-1. エコツーリズムは**地域経済の活性化に貢献しない。**

大体こういった理由は弱いもので、3 行目の文を用いて "ecotourism has brought few economic benefits to the local economy." をキーアイデアとする方が強くなります。

これもサポート部分にコスタリカの例が挙げられていましたので、反論するのが難しく感じられるかもしれません。しかし、前述した **Quebec Declaration** に盛り込まれていたことに基づいて、次のように反論することができます。

> 反論2-1. 地元民、先住民が計画、開発、運営にもっと関与すれば、エコツーリズムは彼らに多くの利益を得る機会を与えることになる。

> Ecotourism will give local and indigenous people opportunities to gain a lot of profits **if they are more involved in its planning and operation.**

いかがでしたか。前述したとおり、2002年は **the UN International Year of Ecotourism** でしたから、これからも ecotourism は世界各国で推進されていくのではないかと思われます。インターネットで検索すると様々な情報が得られますので、このトピックについての背景知識を得るために日本だけでなく海外の ecotourism についてもいろいろと調べてみることをお勧めします。

では、最後に賛成派の意見も示しておきます。

> **I believe that ecotourism should be promoted for the following two reasons.**

> First, **ecotourism contributes to environmental protection.** Unlike tourism in the traditional sense, which has damaged the environment, ecotourism can promote awareness of all travelers about the importance of nature preservation and minimize potential negative impacts on the environment.
>
> Second, **ecotourism brings economic benefits to the host country.** Tourists pump money into the local economy in the form of purchase of local goods, creating employment for local people. In 1998, for example, visitors to the Galapagos Islands paid more than $4.3 billion in visitor entrance fees.（84語— 34秒）

> **Words & phrases**

- □ **environmental protection** 環境保護
- □ **pump money into** ～に金を注ぎ込む、資金を投入する

> **賛成派の主張**

① **エコツーリズムは環境保護に貢献している。**環境を破壊してきた伝統的な観光とは違い、エコツーリズムは、旅行者の自然保護の重要性についての意識を高め、環境に与える悪影響を最小限に抑えるか回避することを目的としている。

② **エコツーリズムは旅行者の受入国に経済的利益をもたらす。**旅行者は地元の生産品を購入して地域経済を潤すとともに雇用を生み出す。例えば1998年には、ガラパゴス島を訪れた人々は、入場手数料として43億ドル以上の金額を支払っている。

では、最後に ecotourism について話すときに役立つ語彙、表現集を載せておきますので、覚えてください。

「エコツーリズム」について何でも話せる語彙・表現力 UP トレーニング

① 観光の**維持性**が最優先されるべきである。

② エコツーリズムは**環境維持発展**のための実行可能な選択肢である。

③ エコツーリズムは観光客を受け入れる地域の文化と**環境の保全**に貢献する。

④ 多くの国々が**森林破壊**に直面している。

⑤ エコツーリズムの活動が生態系や**種の多様性**に与える実際の影響に関する研究がなされている。

⑥ エコツーリズムは**貧困の緩和**に貢献するかもしれない。

⑦ 我々は**社会経済及び環境利益**を生み出すエコツーリズムの模範的な役割を認識しなければならない。

⑧ エコツーリズムが本当に**環境の維持を可能にする**ためには、**地域の参加**を最優先にしなければならない。

⑨ 多くの人々は、経済発展と環境保護は**互いに相容れない目標**だとみなしている。

① The **sustainability** of tourism must be a top priority.

② Ecotourism is a viable option for **sustainable development.**

③ Ecotourism contributes to the cultural and **ecological integrity** of host communities.

④ Many countries are faced with **deforestation.**

⑤ Research has been conducted on the actual impacts of ecotourism activities upon ecosystems and **biodiversity.**

⑥ Ecotourism may help **alleviate poverty.**

⑦ We must recognize the exemplary role of ecotourism in generating **socio-economic and environmental benefits.**

⑧ In order for ecotourism to be truly **sustainable,** we must give a top priority to **community involvement.**

⑨ Many people view economic development and environmental preservation as **mutually exclusive goals.**

7 メディアのトピックの Argument 実践トレーニング

> メディアのトピックに強くなる！（Part 1）
> **Should the names and photos of juvenile criminals be made public ?**
> 青少年犯罪者の実名と写真を公開すべきか？

日本の少年犯罪の報道の現状

　青少年による凶悪な犯罪が増える中、メディアによる報道のあり方が問われています。現在、日本においては、**the Juvenile Act**（少年法）第 61 条により少年犯罪者の氏名、年齢、職業、住居、容貌等を新聞、その他の出版物へ掲載することを禁じていますが、罪を犯した少年の人権を守り、将来の更正（**chance of rehabilitation**）を阻害しないことが目的です。

　実際には厳しい罰則（**regulation with a severe penalty**）がなく、マスメディアの裁量にゆだねられている（**be left to the discretion of the mass media**）のが現状。マスメディア側も自主規制（**self-regulation**）を敷き、1958 年日本新聞協会が策定した独自のルールにより 20 歳未満の少年の氏名、写真等は公表すべきではないとしつつも、報道されたケースもあります。また、インターネット上の情報公開も活発で、罪を犯した少年側がプライバシーの侵害（**invasion of privacy**）や名誉毀損（**libel**）で告訴するケースもありました。

実名、写真公開への世論の高まり

　少年犯罪の凶悪化、低年齢化（**a trend toward committing a felony among the younger generation**）に伴い、（検挙人員全体に占める少年比は 52.48％）殺人など凶悪な場合は大人と同様に実名、写真報道をしてもいいの

ではないかという世論が高まっています。

では、今からそれぞれの言い分を聞いてみることにしましょう。

青少年犯罪者の実名と写真の公開に賛成派の意見

Q. 賛成派がその理由を話していますが、どう反論するか考えてみましょう。

> I think the names and photos of juvenile criminals should be made public for the following two reasons.

> Firstly, **it will serve as an effective deterrent to juvenile crimes.** As it is often reported, many juvenile criminals often show their desire to commit crimes when they are miners because the age restriction is imposed on the publication of their names. Therefore, if their names and photos are made public, then it will definitely serve as a deterrent.
>
> Secondly, **people have the right to know** serious problems happening around ourselves. Especially when a young criminal who committed a felony such as murder lives in your community, you have vested rights to know who did what in order to protect yourself and your family members from possible danger. (105語—42秒)

Words & phrases
☐ **deterrent** 抑止力　☐ **impose on** 課す　☐ **felony** 重罪
☐ **vested right** 既得権

賛成派の主張

① **効果的な抑止力となる。** よく報道されることだが、多くの青少年犯罪者が、名前や写真の公開に年齢制限がある内に悪いことをしたいと言う。ゆえに名前や写真が公表されれば、犯罪抑止力となる。
② **知る権利がある。** 人には周辺で起こっていることを知る権利があり、特に殺人のような重罪犯が近くにいる場合は、家族や自分を守るために誰が犯人かを知っておくべきだ。

賛成派に反論してみよう！

どう反論するか決まりましたか？

> 賛成派 1-1．　公開は抑止力となる。

　ここで賛成派は、名前や写真が公開された場合、将来へのダメージを考えて犯罪行為をやめるだろうという抑止力を挙げています。この意見に反論するためにはこれが、「抑止力にはならない」点を挙げなければなりません。

> 反論 1-1．　**効果的な抑止力にはならない。**今でもインターネットなどで実名や写真が公開されるのはわかっていても、罪を犯すのだから。
>
> **It won't stop them from committing crimes.** Juveniles do commit crimes even if they know that their names and photos are published on the Internet.

　確かにインターネットで実際に写真や名前、あるいはその家族までわかってしまうこともあります。では、新聞や雑誌とインターネットに流れる情報とどのように違うのでしょうか。

　ここは一つ、発行部数（**circulation**）をしっかり抑えておきましょう。日本における新聞の発行部数は 2001 年現在約 5368 万部で、宅配率 93.4％、1 世帯あたり 1.12 部新聞を取っている計算になるそうです。それに対してインターネットは、民間調査と政府の調査で約 1000 万ほどの違いがありますが、利用者が 2001 年で約 4300 万～ 5500 万で、世帯普及率は約 60％。このうち、わざわざ青少年犯罪者の名前や顔写真を見るために、ネットサーフィンをする人となるとぐんと減少するのではないかというあたりを、賛成派は反論するために使ってはどうでしょう？

> 賛成派 1-2．　インターネットとは違い、**新聞やテレビは利用者数が多く、そこに公表されると、悪名は知れ渡る**。インターネットでわざわざ犯罪者の顔を見てやろうとする者はそう多くないだろう。　よってある程度の抑止

になる。

> Unlike the Internet, **far more people read newspapers and watch TV so that far more people will know juvenile delinquents' names and photos.** Not many people will spend their time browsing the web for criminals' photos and names. Therefore, it can serve as a certain degree of deterrent to juvenile crimes.

では次に賛成派の2つ目の意見をみましょう。

> 賛成派 2-1. 知る権利がある。

「知る権利」を賛成の理由として挙げてきました。確かにこれは強い理由ではありますが、「権利」の裏側には果たさなければならない「義務」も必ずあるわけで、未成年者のプライバシーを守り、社会復帰に手を貸す大人としての義務を主張してから次のように反論してみましょう。

> 反対派 2-1. 人々の**知る権利には制限を加え**、**青少年のプライバシー**を守り、彼らをさらし者にするのではなく、**社会復帰できるように助けてやらなくてはならない。**
>
> You must **draw the line at the right to know and protect young people's privacy and help them reform** rather than get them pilloried.

さぁ、これにはどう反論しましょうか？　確かに青少年の社会復帰を助けるべきだ、罪を憎んで人を憎まず（**Condemn the offense, but pity the offender.**）ということわざもあるし……と ここで納得していてはだめですよ。知的対決なのですから、頑張ってもう一押し。

> 賛成派 2-2. **プライバシーより、公共の利益・安全が優先されるべきだ。**
> メディアによって犯罪者が汚名を着せられるのは当然であって、法を遵守

している善良なる市民の生活を脅かしてまで、犯罪者のプライバシーは守る必要はない。

Public benefits and safety take precedence over juvenile criminals' privacy and rehabilitation. Criminals cannot blame the media for stigmatizing them as such because they caused trouble and damage to society. When the lives of law-abiding citizens are in danger, those young criminals' privacy should be dismissed.

　知る権利、公共の利益はかなり強い主張です。ここからさらに反対派としては、少年のプライバシーを守ることも少年法（juvenile law）で規定されたことであり、逆に少年の権利として主張することも可能でしょう。では最後に反対派の立論の例を挙げておきます。

反対派の意見

　I am against the publication of names and photos of juvenile criminals for the following two reasons.

　Firstly, **it will deprive juveniles of chances to reform and rehabilitate.** People are more likely to brand criminals as a menace to society even if they try hard to reform. This will make it harder especially for susceptible young people to reform themselves and grow into a law-abiding good citizen.

　Secondly, **the publication of young criminals' photos and names won't make any difference in crime prevention and eradication.** They commit a crime because of social ills. What the society as a whole should really address is to track down the root causes of those social ills and take countermeasures against them.（104 語―42 秒）

> **Words & phrases**

□ **deprive** 人 **of** 〜　人から〜を奪う　　□ **law-abiding** 法を守る

> **反対派の主張**

① **青少年の社会復帰のチャンスを奪う**。人は犯罪者が更生しようと努力しても社会の危険人物の烙印を押してしまうので、多感な若者が、善良な市民として立ち直るのが困難になる。

② **名前や写真を公開しても、犯罪予防や解決につながらない**。社会が、本当に取り組むべきことは、青少年犯罪を犯させるような病んだ社会である原因を見つけそれをなくすよう手を打つことである。

「青少年犯罪」について何でも話せる語彙・表現力 UP トレーニング

★ ワンランク UP 表現

① 青少年犯罪の名前や写真を**公表**すれば、**青少年犯罪の効果的な抑止力となる**。

① The **publication** of names and photos of juvenile criminals will **serve as an effective deterrent to juvenile crimes.**

② 青少年たちの多くは、**メディアによる名前の掲載に年齢制限がある**ので、罪を犯したいと公言している。

② Many youngsters often show their desire to commit crimes because the **age restriction is imposed on the publication of their names.**

③ 特に殺人などの**重罪を犯した**青少年犯罪者が地域に住む際には、その情報を知る**権利**がある。

③ Especially when a young criminal who **committed a felony** such as murder lives in your community, you have **vested rights** to know the information.

④ 人々の知る権利に**制限を加え**て、青少年のプライバシーを守り、社会復帰できるように助けなければならない。

④ You must **draw the line at** the right to know, protecting young people's privacy and helping them reform.

⑤ 青少年犯罪者のプライバシーより、**公共の利益・安全が優先されるべきだ**。

⑤ **Public benefits and safety should take precedence over** juvenile criminals' privacy.

⑥ 青少年犯罪者の名前と写真の公表は**社会復帰のチャンスを奪っ**てしまう。

⑥ The publication of names and photos of juvenile criminals will **deprive juveniles of chances to reform and** rehabilitate.

⑦ 名前や写真を公開しても、**犯罪予防や撲滅に対する効果は全くない**。

⑦ The publication of young criminals' photos and names **won't make any difference in crime prevention and eradication.**

> メディアのトピックに強くなる！（Part 2）
> **Should cigarette advertisements be banned ?**
> たばこの広告は禁止されるべきか

　2002年の12月に、たばこ業界の政治的影響力が強いイギリスとドイツを除くEU加盟国の厚生大臣（**Health Ministers**）が、2005年7月までにたばこの広告を違法とする（**outlaw tobacco advertising**）ことに合意した、ということが新聞などで取り上げられました。このニュースからも分かるとおり、世界の趨勢は、たばこの広告を禁止する方向に向かっています。

　アメリカの the Department of Health and Human Services（保健社会福祉省）によると、全ての喫煙常習者（**regular smokers**）のうち、90パーセント近くが18歳かそれ以前に喫煙を始めています。多くの禁煙運動家（**anti-smoking activists**）は、若年層が喫煙する原因の大半はたばこの広告にあると主張しています。中には、たばこ業界（**the tobacco industry**）は売り上げを維持するためには、たばこが原因の病気（**tobacco-related diseases**）で死ぬ人や、喫煙をやめる人の代わりに新しい喫煙者を毎年2百万人ずつ補充しなければならないので、子どもや10代の若者がたばこの広告の主要なターゲットになっている、と言う人もいます。

　当然、たばこ業界は広告禁止に反対しており、「たばこの広告は現在喫煙している人々（**existing smokers**）のみを対象にしたものであり、ブランド切り替えを促す（**promote brand switching among smokers**）ためにあるのだ。」と主張しています。

　それでは次に、たばこ広告禁止をめぐるこれまでの動きを簡単にまとめておきます。

たばこの広告禁止に向けての今までの動き

　たばこの広告の禁止を目指す動きは、1960年代から始まっています。イギリスでは1965年、アメリカでは1971年にテレビでのたばこのCMが禁止されました。

さらにイギリスでは1971年に、たばこには **"health warning"** がつけられることになりました。1970年代半ば頃には、映画の中でのたばこの宣伝が規制され、さらに1980年代半ばには、たばこ会社がスポーツの試合（例えばカーレースなど）のスポンサーになってたばこの宣伝をすることを禁止しようという動きがあり、また、雑誌に載るたばこの広告が規制されました。

1998年には、EU内でのたばこの広告を禁止するEUの指令（**EU Directive**）が採用されましたが、翌1999年には、ドイツ政府とたばこ業界がその指令の法的な根拠を問題にした（**question the legal grounds**）ため、無効になって（**be nullified**）しまいました。

しかし、前述したように2002年の終わりに、EUがたばこの広告を違法とすることに決めました。2005年7月までには、新聞、スポーツのイベント、ラジオ、インターネットでのたばこの広告も禁止されることになっています。

以上のことを念頭において、たばこの広告を禁止することに賛成する人々（**anti-smoking activists** など）の主張を検討してみましょう。

たばこ広告の禁止に賛成の意見

Q. 以下の主張に反論してみましょう。

> I believe that cigarette advertisements should be banned for the following two reasons.

> First, **cigarette ads influence many people to start smoking.** Studies suggest that the more cigarette companies advertise, the more people, especially young people start or continue to smoke. Studies also indicate that 85% of teenage smokers and 35% of adult smokers choose the three most heavily advertised brands of cigarettes.
>
> Second, **the government should protect people from deceptive ads.** No advertising is more deceptive than that used to sell cigarettes. False images of independence, health, and vitality are used to sell a product that causes profound dependence and illnesses.（90 語— 36 秒）

> **Words & phrases**
> - influence ~ to（do）～を促して…させる
> - deceptive 人をだますような　□ vitality 生命力
> - profound 深刻な　□ dependence 依存

> **賛成派の主張**

① **たばこの広告の影響によって、多くの人々が喫煙を始めている。**たばこ会社の宣伝が増加するほど喫煙者が増える、特に若者の喫煙や喫煙の継続を助長している。10代の喫煙者の85%（成人の35%）が最も宣伝されている3銘柄のたばこを選んでいる。

② **政府は、人をだますような広告から国民を守るべきである。**たばこを売るための広告ほど人をだますような広告はない。自立、健康、生命力という偽ったイメージを宣伝して、深刻な依存症や病気を引き起こすたばこが売られている。

では、上記の主張に対する反論ができますか。

> 賛成派 1-1.　たばこの**広告の影響によって、多くの若者たちが喫煙**を始めている。

この主張に反論するには、人々、特に若者が喫煙を始めたのは広告の影響によってではない、と例証を挙げて主張すればいいわけです。例証を挙げるには、データが必要になります。

> 反論 1-1.　人は様々な理由で喫煙を始める。特に10代の若者の主な喫煙の理由は、仲間からのプレッシャーか大人のまねである。ある研究では、インタビューを受けた7歳から15歳までの子どものうち、**喫煙を始めた最大の理由として広告を挙げたのは1パーセントに過ぎない。**
>
> People take up smoking for a variety of reasons. Especially for teenagers, peer pressure or copying of adults are the principal reasons. In

a study, only **1% of 7-15-year-old interviewed mentioned advertisements as the biggest reason they started smoking.**

賛成派はこの反論にどう答えることができるでしょうか。喫煙者の若者は単に、広告の影響に気づいていないだけかもしれませんよ。

賛成派 1-2. たばこの広告のほとんどは人の心理操作のみに頼っている。力、魅力、成功というたばこのイメージは、喫煙を理想的な生活と結びつける肯定的なイメージを生み出す。そのような広告は、自分の最善の利益についての判断を狂わせ、**無意識のうちにタバコへの強い願望を引き起こす。**

Tobacco ads rely almost exclusively on psychological manipulation. Images of power, glamour and success they project create a positive association between "the good life" and smoking. Such ads **unconsciously arouse in a person a powerful desire** that is not rationally weighed against one's own best interests.

つまり、広告によって、無意識のうちにたばこを買うように心理操作されている、ということです。この反論は前述の 1% を反証していないので不十分ですが、さらにこの主張にはどう反論することができるでしょうか。

反論 1-2. たばこの広告が消費者を操作しているという理由で禁ずることはできない。**たばこ業界の広告戦略には、他の業界の商品の宣伝方法と違うところはない。**

Cigarette ads cannot be banned on the grounds that they manipulate consumers. **The tobacco industry's advertising strategies are no different from those of other industries to promote their products.**

このように弱い (untenable) アーギュメントはすぐに叩かれてしまいます。では次に、賛成派の 2 つ目の理由に反論してみましょう。

賛成派 2-1. 政府は、**人をだますような**広告から国民を守るべきである。

これに反論するには、たばこの広告は本当に人をだましているかどうかを問題にするといいでしょう。

反論 2-1. たばこの広告が意図的に消費者をだましている、という非難には正当性はない。**たばこの広告に描かれているイメージは現実のものである。実際に、喫煙するスキーヤーやテニス選手がいる。**

The charge that cigarette ads intentionally deceive consumers is unfounded. **The images portrayed in cigarette ads are realistic ones. There are, in fact, skiers and tennis players who smoke.**

さてどうでしょうか。このアーギュメントは弱いでしょうか。賛成派はこの反論をくずさなければなりません。そのためには、たばこの広告によって喫煙者が惑わされている例を探す必要があります。

賛成派 2-2. **たばこの広告は、たばこは喫煙者を魅力的にするというメッセージを送っている。**しかし**実際は、たばこの煙の中のタールによって歯が汚れるので、たばこは喫煙者を魅力的にはしない。**

Cigarette ads send the message that smoking will make you more attractive. But in fact it won't. For example, smoking stains your teeth with tar.

上記の主張に反論するのは難しそうですが、たばこが健康に害を及ぼす、というのは最近では常識になっていますから、次のような反論はいかがですか。

反論 2-2. 「今喫煙を止めたら、健康に対する危険の率がかなり下がる」、「喫煙をすると、妊娠中に支障があったり、新生児の出生時体重が軽くなっ

たり、他の致命的な問題が引き起こされたりするかもしれない」、という**公衆衛生局長官の警告が、1つ1つの広告の上に目立つように張られているので、たばこ広告は真実を隠しているわけではない。**

Cigarette ads do not hide the truth with the Surgeon General's warning prominently stamped across each and every ad, stating. "Quitting smoking now greatly reduces risks to your health" and "Smoking may complicate pregnancy, lower the birth weight of a new baby, and cause other fatal problems."

これはまずいですね。いくら苦しいとはいえ、これは賛成派の主張にダイレクトに反証（counterevidence）を出して disprove や反論（counterargument）をせずに、話をそらしています。皆さんもこういったまねは避けましょう。

それでは次に、たばこの広告の禁止に反対する人々（もちろん主としてたばこ業界の人々）の主張を紹介します。

たばこの広告禁止に反対派の主張

I do not think that cigarette advertisements should be banned for the following two reasons.

First, banning cigarette ads goes against the spirit of freedom of expression. It is true that the government has the right to restrict freedom of expression when the exercise of this freedom causes harm to others. However, cigarette advertising is not harmful because ads for cigarettes do not cause people to smoke, just as ads for soap don't cause people to bathe.

Second, it would place freedom of individual choice in serious jeopardy. Respect for individual rights means that consumer preference and choice should be respected. The government has no right to restrict the freedom of choice in products that are legally bought and sold. Banning cigarette ads would do just that. （112 語— 45 秒）

Words & phrases
- **go against** 〜に反する
- **exercise** 行使
- **place 〜 in** …（人、物）を（ある状態、位置）に置く
- **jeopardy** 危機、危険

反対派の主張
① たばこの広告を禁ずることは表現の自由の精神に反する。確かに政府は、表現の自由が他人に害を及ぼすときにはそれを制限する権利を持っている。しかし、たばこの広告そのものに有害性はない。石鹸の広告が人を入浴させないのと同様に、たばこの広告が人を喫煙させるわけではないからである。

② たばこ広告を禁ずることで、個人の選択の自由が危機に曝される。個人の権利の尊重というのは、消費者の好みや選択を尊重することである。政府には、法的に売買されている商品の選択の自由を制限する権利はない。たばこの広告を禁止したら、その自由を制限することになる。

　これはいかがですか。本当にああ言えばこう言いますね。石鹸の広告との analogy（類推）戦法を用いて説得力を高めようとしていますが、その類推には無理があります。しかし、2 番目の「政府公認でタバコが売買されているのだから、その広告を禁止するのはおかしい」は痛いところを突かれています。なお、上記の①の「たばこの広告によって人は喫煙しない」ということの根拠は、前に述べたように、「インタビューを受けた 7 歳から 15 歳までの子どものうち、喫煙を始めた最も重要な理由として広告を挙げたのは 1 パーセントに過ぎない」という研究結果です。

「たばこの広告禁止」について何でも話せる語彙・表現力 UP トレーニング

★ワンランク UP 表現

① たばこ会社は自分たちの広告が**未成年者を対象にしている**ことを否定している。

② たばこ会社は**若者の興味をひく**広告を作成している。

③ たばこの広告は喫煙を促すのに**重要な役割を果たしてきた。**

④ **仲間からのプレッシャー**は 10 代の若者の喫煙に最も大きな影響を与えるものの一つである。

⑤ たばこの広告は喫煙を**かっこいい**ものとして描写している。

① Tobacco companies deny that their advertising is **targeted at minors.**

② Tobacco companies are designing **ads that appeal to the youth.**

③ Cigarette advertising **is a major contributing factor in** increasing smoking.

④ **Peer pressure** has been one of the greatest influences on teenage smoking.

⑤ Cigarette advertisements **portray smoking as cool.**

★ さらにワンランク UP 表現

① 多くの子供達はたばこの広告を**定期的に載せている**雑誌を読んでいる。

② たばこの広告は、健康の**安全性**における喫煙者の懸念を弱めさせる。

③ たばこの広告は、**健康には害がない**というように誤って信じ込ませる。

④ 仲間の影響は、**試しの喫煙から中毒になる過程**において最も顕著である。

① Many children read magazines that **regularly carry** tobacco advertisements.

② Cigarette advertisements **will make smokers less concerned about** its health risks.

③ Tobacco advertising **misleads people into believing that smoking is not detrimental to your health.**

④ The effect of peer pressure is most noticeable in **the transition from experimental smoking to addiction.**

政治・法律のトピックに強くなる！（Part 1）
Should capital punishment be abolished？
死刑は廃止すべきか？

死刑執行の実態は!?

政治犯救済や人権擁護のための国際委員会アムネスティ・インターナショナル（**Amnesty International**）の調査によると2002年の死刑執行数（**the number of execution**）は、世界31カ国合計で1526名です。しかし、これはアムネスティに報告があったものだけですから、実際にはもっと多いはずだと述べています。この死刑執行数のうち81％はChina、Iran, USAで行われました。また同年死刑判決（**death sentence**）を受けた人は67カ国で3248名でした。

死刑に対する世界の動き

同アムネスティの調査では、①76カ国（合衆国の州なども含む）が「いかなる犯罪に対しても死刑は廃止」（76countries and territories have **abolished death penalty** for all crimes）、②15カ国が「一部の犯罪を除いては全面廃止（total abolition）」、③「死刑は法律としてはあるがこの10年以上処刑をしていない」（They have not **carried out any executions** for the past 10 years.）国が21あり、実質的に廃止も同然（Those countries are practically considered **abolitionists in practice.**）とみなされています。

死刑制度を存続させているのは83カ国ですが、実際に処刑を行う国はどんどん少なくなっており、全体として死刑は世界的な廃止の方向へ向かっている（**heading for global abolition of death penalty**）と言えるでしょう。

死刑賛成派の意見

Q. 賛成派がその理由を話しています。あなたならどう反論しますか？反対派になりきって考えてみましょう。

I don't think capital punishment should be abolished for the following two reasons.

Firstly, **the death penalty definitely deters criminals from committing dreadful crimes such as murder.** Many surveys conducted in the US indicate a noticeable drop in murder rates in the months following any execution. On the other hand, in the UK, where capital punishment was abolished in 1965 (for all crimes except treason), the murder rate has doubled. Thus capital punishment will definitely serve as a deterrent to serious crimes.

Secondly, **removing horrendous criminals from society will alleviate a government's financial burden.** According to a study by TIME magazine, it costs about $4million to keep prisoners for fifty years in the US, more than twice the cost of a death penalty case. Criminals who committed felonies deserve death more than life imprisonment which eats up people's bloody tax.（128 語— 51 秒）

Words & phrases

- **dreadful crimes** 恐ろしい犯罪　□ **execution** 執行、処刑
- **abolish** 廃止する　□ **horrendous** 恐ろしい、ゾッとする
- **alleviate** 軽減する　□ **felony** 重罪　□ **life imprisonment** 終身刑

賛成派の主張

① **死刑は殺人など重罪を抑止する。**米国の多くの調査で、処刑後数ヶ月は殺人率が目立って減少することがわかっている。また 1965 年に死刑を廃止したイギリス（反逆罪は例外）では殺人率が 2 倍になっており、死刑制度が抑止力になっているのは間違いない。

② **社会から忌むべき犯罪者を抹消するのは政府の財政負担を軽減することになる。**タイム誌によれば、米国では 50 年刑務所にいた場合約 4 百万ドルかかり、死刑囚の場合より 2 倍は多くかかるとのこと。重罪を犯した者は

血税を消費するだけの終身刑より、死刑を受けるべきだ。

賛成派に反論してみよう！
さてどう反論するか決まりましたか? 必ず自分で考えてから読んでください。

> 賛成派 1-1.　**死刑は殺人など重罪を抑止する。**

これは死刑賛成派が一番に使う強いキーアイディアです。またこのキーアイディアの後、実際に米国で行われた調査を持ち出して、いかに死刑が殺人事件を抑止しているか述べています。死刑を廃止した英国では、何と殺人率が2倍になった!? これに反論するには、当然死刑が殺人などの重罪抑止にはなっていない証拠をつかんでおかなくてはいけません。

> 反論 1-1.　**死刑は殺人など重罪の抑止力にはならない。**米国では多くの州で死刑制度を採用しているが重犯罪率がとても高い。
>
> **Death penalty does not deter felonies such as murder.** The United States, where a lot of states still keep death penalty, show high rates of serious crimes.

死刑反対派はいかに死刑に犯罪抑止効果がないかを強調するために、米国の犯罪率の高さを引き合いに出すのも、常套手段です。しかしこのアーギュメントは弱いですよ。何故なら米国の高い犯罪率には他の要因が働いているかもしれないのに、死刑制度を採っていても犯罪率が高いとその問題を"oversimplify（単純化）"しているからです。まあとにかく反論するためには反証（counterevidence）を持って来て次のように反論できます。

> 賛成派 1-2.　**抑止力になっている。**例えば500人の死刑囚の約62%が実際に処刑された1993年から1997年、米国の殺人率は約26%も下がった。
>
> **Capital punishment does deter.** For example, during a period of increased use of the death penalty from 1993 to 1997, when 311（62%）

of the 500 death-row inmates were actually executed, the murder rate in the U. S. dropped by 26%.

実際一番死刑執行件数が多いテキサス州では、殺人率が低いそうですし、英国でも死刑を廃止した 1964 年から 1998 年の 34 年間に、殺人率が倍増したという記録もあります。賛成派も反対派も統計数字はたくさん例証として持っておくようにしましょう。

さて賛成派 2 つめの理由は

賛成派 2. 社会から忌むべき犯罪者を抹消するのは政府の財政負担を軽減することになる。

というものです。タイムの記事を引用して、殺人など許されない罪を犯した者を監獄の中で生かしておくために、自分たちの血税が使われるのは無駄になるので、終身刑ではなく死刑にしてしまうべきだと言っています。さぁ、反論しましょう。

反対派 2-1. **本当に負担を軽減するかどうかは証明されていない。**死刑囚の場合も、複雑な法律手続きなどで時間がかかり約 150 万ドル以上かかる。

It has not yet proved that death penalty actually reduce a financial burden on the public purse. Death penalty can cost about $1.5 million or more because of the long, complex legal procedures.

なかなかやりますね。証明されていないといいながら数字で説得にきました。ですが、賛成派も負けていられません。同じく数字で対抗し無駄なお金を使うという点を強調して次のように反論します。

賛成派 2-2. 処刑せず**生かしておけば金がかかるの**は明確だし、セキュリティシステムの強固な独房に入れたら、それだけでも 200 万ドル以上かかる。許しがたい罪を犯した者を生かしておくのに、こんなに税金を使う必要はない。

It obviously takes more tax to let abhorrent criminals be alive than to execute them. Putting those criminals in a maximum security cell can cost more than $2 million. It is unreasonable to spend such a huge amount of tax to keep those serious offenders alive.

これまた counterevidence による counterargument で力強い。さてこれに対する次の反論はどうですか。

反対派 2-2. **高くつくから、囚人を処刑した方がいいという理由で殺すことはできない。**財源不足解消の手段は別に検討されるべきであって、囚人を殺せばいい、ということにはならない。

You cannot kill prisoners because they eat up a lot of money. The government has to find ways to alleviate financial problems other than just killing criminals.

数字による応酬が無理なので、切り口を変え倫理的問題という厄介な方向に発展して行きましたが、人権問題などの考案といったサポートもなく弱い反論です。こういったアプローチは前述のように「極悪人は死刑になって当然である」といった反論を招き、ticklish で charged な議論になって行きます。

ところで、賛成派二つ目の理由として「社会から忌むべき犯罪者を抹消するのは政府の財政負担を軽減することになる」という理由を使いましたが、他には「殺人者を処刑しておけば、その殺人者がまた他の誰かを殺す可能性を防ぐことができる」。(Executing murderers prevents them from killing again.) というものもあります。

では、反対派の意見の作り方の一例を示しておきます。

反対派の意見

I am against capital punishment for the following three reasons.

Firstly, **capital punishment is another form of killing.** Especially death penalty is more cruel than just killing because it inflicts psychological torture on inmates who know they are going to be killed but do not know when.

Secondly, no matter how many appropriate cases there may be, **a single mistaken execution of an innocent person is utterly unjustifiable,** which is bad enough to destroy our confidence in death penalty.

Finally, **death penalty deprives criminals of chance to reform.** Any criminal should be given every chance to atone for their wrongdoings. Then they should be rehabilitated into society. Execution, however, denies this kind of opportunity.

（102 語― 41 秒）

Words & phrases

☐ **inflict**（苦痛・打撃などを）与える、（好ましくないものを）負わせる、苦しめる
☐ **psychological torture** 心理的な拷問　☐ **unjustifiable** 正当化できない
☐ **atone for** 〜の償いをする

死刑反対派の主張

① **死刑は殺人の一形態だ**。特に死刑囚にとっては、日時は不明だが殺されるとわかっているので、ただ単に殺されることより心理的苦痛が大きく、残酷である。
② **無実の人を処刑することは、たった一度の間違いであれ、絶対に許されない行為である**。他にいくら正しい裁きが行われようが、死刑制度を信用するわけにはいかなくなる。

③ **死刑は犯罪者が悔い改める機会を奪う。**犯罪者にも自分たちの誤った行いを償い、また社会へと復帰するチャンスを与えるべきだ。

「死刑」について何でも話せる語彙・表現力 UP トレーニング

★ ワンランク UP 表現

① 死刑は殺人などの恐ろしい犯罪を確実に抑止する。

① The death penalty definitely **deters criminals from committing atrocious crimes** such as murder.

② 死刑だけが犯罪率を下げるという分析は、**重大犯罪の原因をあまりにも単純化しすぎている。**

② The analysis that only death penalty decreases crime rates **oversimplifies the causes of serious crimes.**

③ 社会から**忌むべき犯罪者**を抹消するのは**政府の財政負担を軽減**することになる。

③ Removing **horrendous criminals** from society will **alleviate the government's financial burden.**

④ 重罪を犯した者は**国民の血税を浪費するだけの終身刑より、死刑を受けるべきだ。**

④ Criminals who committed felonies **deserve death more than life imprisonment which eats up people's bloody tax.**

⑤ 死刑は、**囚人に与える心理的苦痛が大きいので**、単なる殺人とは言えないほど残酷な行為である。

⑤ Death penalty is more cruel than just killing because it **inflicts psychological torture on inmates.**

⑥ どんな犯罪者であれ、**罪を償なう**機会が与えられるべきである。

⑥ Any criminal should be given every chance to **atone for their wrongdoings.**

⑦ 無実の人を処刑することは、たった一度の間違いであれ、**絶対**

⑦ Even a single mistaken execution of an innocent person is **utterly**

| に許されない行為であり、死刑制度の信頼性を崩壊させるほど悪いことである。 | **unjustifiable**, which is bad enough to destroy our confidence in death penalty. |

⑧ 終身刑は死刑より重い処罰であり、凶悪犯罪の抑止力となりうる。

⑧ **Life imprisonment** can be a severer punishment than execution, serving as a deterrent to atrocious crimes.

政治・法律のトピックに強くなる！（Part 2）
Should all countries ban private ownership of guns？
どの国も銃の所有を禁止すべきか？

銃先進国!? アメリカでは?

1999年4月20日、米国コロラド州のコロンバイン（Columbine）高校で起こった生徒2名による銃乱射事件は、皆さんの記憶にも新しいでしょう。One gun is manufactured per ten seconds and one gun is imported per nine seconds.（10秒ごとに1丁の銃が生産され、9秒ごとに1丁の銃が輸入されている）米国では、2軒に1軒の家庭が銃を所持、銃によって命を落とす人は1日平均87人。まさしく、**Guns are deeply woven into the fabric of American society**.（銃が社会の中に浸透して）おり、その使用方法や規制関連をめぐって意見が大きく二つに分かれています。（This issue is so controversial that it may tear the U.S. apart.）

2000年の大統領選挙でも、この銃規制問題は争点の一つとなり、民主党（Democratic Party）は銃規制を訴え、共和党（Republic Party）はNRA（National Rifle Association:全米ライフル協会）と共に銃規制全面的反対、かわりに犯罪者の処罰強化を訴えました。では米国における主な銃規制にはどのようなものがあるか見てみましょう。

米国での主な銃規制

まず代表的なものは1993年のブレディ拳銃防止法（**Brady Handgun Violence Prevention Act** [**Brady Law**]）。1981年レーガン大統領暗殺未遂（assassination attempt on Regan）事件で重傷を負ったブレディ報道官（当時）の名にちなんだもので、警察が銃の購入希望者の身元や前科などを調査するものです。結局この法は購入者の即日背景調査を行うためのデータが整備されなかったため、法務長官（solicitor general）によってその効力を廃棄されました。他には1994年の「包括的犯罪防止法」（Violent Crime Control And

Law Enforcement Act of 1994)、1999 年の銃規制法などがあります。

日本での銃関連の事件は!?

　銃関連の犯罪や事故は米国での話で、日本では関係ないと誰もが思っていた時代もありましたが、最近では日本でも銃が関連している犯罪数が増えてきました。2001 年では発砲（fire / gunfire / shooting）事件が 215 件、銃で命を落とした人が 39 人でした。それでは、銃の所有全面廃止に賛成派の意見からみていくことにしましょう。

銃全面廃止賛成派の意見

Q. 賛成派がその理由を話しています。あなたならどう反論しますか？反対派になりきって考えてみましょう。

> I think all countries should ban private ownership of guns for the following two reasons.

> 　Firstly, **a ban on private gun ownership will definitely decrease crime rates and the number of victims.** Guns are instruments of violence and massacre. If no citizens are allowed to carry guns, we will not see any more tragedy, such as the one happened at Columbine High school.
> 　Secondly, **it will prevent people from committing suicide.** Especially in the U.S., where nearly half of all the households own guns, the suicide rate through guns accounts for more than 7%. Recently, a 14-year-old boy killed himself by using a gun kept in his house. Banning gun ownership can prevent such tragedies.（146 語― 59 秒）

Words & phrases
- **massacre** 大虐殺　　□ **righteous** 公正な、正しい
- **tragedy** 悲劇　　□ **horrendous** 恐ろしい、ゾッとする

☐ **prevent** 妨ぐ　☐ **household**【形】一家の【名】世帯
☐ **account for** 〜を説明する、〜の原因となる、〜の割合を占める

賛成派の主張

① 銃所有を禁止すれば**犯罪率と犠牲者数が激減する**。銃とは暴力的で大量殺人の道具である。誰も銃を持っていなければ、コロンバイン高校で起こったような惨事は、起こらなくなるだろう。

② **自殺も予防できる**。特に全所帯の半数近くが銃を所有する米国では、銃使用による自殺率が 7% 以上である。最近では 14 歳の少年が自宅にあった銃で自殺を図っており、こういった悲劇も銃の所有を禁じることで防げるだろう。

賛成派に反論してみよう！

どう反論するか決まりましたか？　必ず自分で考えてから読んでください。

> 賛成派 1-1.　銃所有を禁止すれば**犯罪率と犠牲者数が激減する**。

これは当然銃に関連した犯罪が多発している米国などを例にとって、誰もが考える点でしょう。この点を論破するには、多くの統計資料を調べていくしかありません。いろいろ調べてみると、次のようなことがわかりました。

> 反論 1-1.　**銃の所有を禁止しても犯罪率は必ずしも低下しない**。米国では銃の所有率が高い州ほど、犯罪率が低いという統計がある。
>
> **Banning gun ownership will not necessarily lower crime rates.** This is indicated by some statistics in the U.S. that show the fact that states with higher gun ownership rates have lower crime rates than those with low gun ownership.

これはそれほど強い（tenable）反論ではありませんが、銃を所有すべきだと主張する側が使う counterevidence で、銃をほとんどの者が所有し、自己

防衛体制ができあがっている地域では、犯罪を犯す方も危険になり、罪を犯しにくいという図式ができあがるというわけです。これに対抗するには、賛成派はその逆の反証を挙げましょう。

> 賛成派 1-2.　いや、やはり**日本やシンガポール、ギリシアなどの銃所有家庭がゼロの国を見れば、明らかに犯罪率は低い**。銃があるからこそ特に重罪が起こるのだ。
>
> 　　Japan, Singapore and Greece, where gun ownership is almost nil, enjoy very low crime rates. After all, guns breed crimes, especially felonies.

これにもう一度対抗するには、この賛成派の主張とまったく反対のデータを探します。例えばコロンビアでは、日本と同じように一般家庭ではあまり銃を所持しないのですが、銃による殺人率は何と 50.6% という恐ろしいような数字で、米国の 4.61% もかすんで見えてしまいそうです。

> 反対派 1-2.　その逆で**一般家庭には銃が一切ないコロンビアでは銃による殺人率が 50% 以上もある**。銃の存在だけが犯罪率に影響を与えるのではない。むしろ銃は善良なる市民を守る役割もしているといえる。
>
> 　　Let's take **Colombia for example, where ordinary citizens have no guns at home. Gun-related murder rates are more than 50 %.** Guns will not increase crime rates, but actually protect innocent people from crimes.

この反論はいかがですか。一見よさそうに見えて実は、この反論には弱点があります。考えてみてください。つまり、コロンビアでは一般家庭に銃がなくても、社会全般としては銃規制があまりないからそうなってるのかもしれないということです。

さて賛成派2つめの理由は

> 賛成派2． **自殺も予防できる。**

銃があれば手軽にそれを使って死んでしまうというものです。

> 反対派2-1． 自殺をする人は銃がなくても、**別の手段を使うから関係ない。**
> **People who want to kill themselves will find other ways to commit suicide.** The existence of guns doesn't make a difference.

銃が殺すのではない、人が銃を使って人を殺すのだ、という理屈と同じですが、確かに強い言い分でもあります。それに対する反論は次のようになります。

> 賛成派2-2． いや、やはり**手近に銃があるだけで簡単に死を選べる**ものだ。他の自殺法よりは簡単だ。
> **A gun at hand makes suicide much easier** compared with other means of committing suicide.

それでは、最後に反対派の立論の作り方の一例を示しておきます。

反対派の意見

> I don't think all countries should ban private ownership of guns for the following two reasons.

> Firstly, **it will deprive law-abiding citizens of a means of self-protection.** According to the National Crime Victimization Report made by the U.S. Department of Justice, women without guns are 2.5times more likely to be seriously injured than those who defend themselves with guns. Banning private gun ownership will increase the number of

victims.

Secondly, it will increase crime rates, as only outlaws obtain guns. Statistics show that states with the highest gun ownership rates have by far the lowest felony rates and that states with the largest increase in gun ownership have experienced the biggest drop in violent crimes in the US. (108語— 44秒)

> 反対派の主張

① **善良なる市民は自己防衛の手段がなくなる。**米国司法省が行った国家犯罪被害者報告書によれば、銃で自己防衛しない女性は防衛している人より深刻な被害にあう率が 2.5 倍も高くなっている。銃規制が厳しくなればなるほど、善良な市民だけがその規制を守り、ますます危険にさらされることになるのだ。

② **無法者だけが銃を所持するので、犯罪率が高くなる。**統計に見られるように、銃所有者が多い地域では犯罪率が極めて低くなる。米国では銃所持率が最高の地域で、急激に犯罪が低下している。

さていかかですか？このアーギュメントは第 1 と第 2 の理由が関連（オーバーラップ）しているので、一つにまとめます。

この他に gun control が米国憲法で保障されている基本的人権を（a basic human rights）を犯すものであるという主張を持って来ましょう。

「銃」について何でも話せる語彙・表現力 UP トレーニング

★ ワンランク UP 表現

① 個人の銃所有を禁止すれば犯罪率と犠牲者数が激減する。

① **A ban on private gun ownership** will definitely decrease crime rates and the number of victims.

② 銃の所有は**基本的人権として米国憲法で保障されている**。

② Ownership of guns is **guarnteed by the US Constitution as a basic human rights.**

③ 銃の所有が**ほぼゼロ**に近い日本では**犯罪率が低い**。

③ Japan, where gun ownership is **almost nil, enjoys very low crime rates.**

④ 個人の銃所有の禁止は**法を遵守する市民の自己防衛の手段を奪**ってしまう。

④ A ban on private gun ownership will **deprive law-abiding citizens of a means of self-defense.**

⑤ 武装した犯罪者を取り締まるのは市民の仕事ではなく、警察の仕事である。

⑤ **Tackling armed criminals** is not the job of private citizens, but that of the police.

⑥ 銃の所有は、**銃犯罪の増加に照らし合わせてみて**見直さなければならない。

⑥ Gun ownership must be reconsidered **in the light of the escalation of gun-related crimes.**

⑦ **銃所有の擁護者は**、銃の禁止は犯罪率を増やし無法者のみが銃を入手することになると**主張している**。

⑦ **Advocates of gun ownership argue** that outlawing guns increases the crime rates and only outlaws will obtain guns.

⑧**統計では**、米国で銃の所持率が最も増加した州において、凶悪犯罪も最も低下している。

⑨銃の所有を認めることは、**必然的に銃を使用したり、誤用する**人数を増やすことになる。

⑧ **Statistics show that** states with the largest increase in gun ownership have experienced the biggest drop in violent crimes in the US.

⑨ Allowing gun ownership will **inevitably** increase the number of people who **use and misuse firearms.**

政治・法律のトピックに強くなる！（Part 3）
Pros and Cons of Affirmative Action
差別撤廃措置の是非

affirmative action とは？

affirmative action とは米国での minority groups（少数派）や女性のための雇用や教育の機会を向上させようという努力のことです。もとは **African American**（黒人）に対する歴史的な差別を改めようとしたことから始まり、今では race（人種）、disability（障害）、gender（性別）、ethnic origin（民族）age（年齢）などに基いた差別全体をなくそうとする運動のことです。

affirmative action はなぜ物議をかもし出すのか!?

36代（1963〜69）大統領 Lyndon Johnson（リンドン・ジョンソン）は、1964年の **Civil Rights Act**（公民権法）の下、差別撤廃措置に積極的に取り組み、監視機関は Federal Contract Compliance（連邦契約準拠）と **the Equal Employment Opportunity Commission**（雇用均等委員会【略】EEOC）でした。ところが1970年代後半になり、**racial quotas**（人種別採用割り当て）や **minority set-asides**（特定少数民族集団系企業への政府契約の最低割当量）などを設けることは、**reverse discrimination**（逆差別）であるとして問題になってきたわけです。

それではそれぞれの言い分を今から見ていきましょう。

差別撤廃措置賛成派の意見

Q. 賛成派がその理由を話しています。あなたならどう反論しますか？反対派になりきって考えてみましょう。

> **I think we need affirmative action for the following two reasons.**

Firstly, **it will give minorities equal opportunities to enter various kinds of professions.** The United States, a white-male-dominated society, needs affirmative action today for the same reason that it was first introduced in the 1960s: non-whites and women still face discrimination when they seek employment.

　Secondly, **it will broaden people's cultural horizons.** Affirmative action programs will encourage minorities to voice their own opinions and thoughts. That will stimulate public debate about America's cultural identities and help minorities challenge the dominators, thus promoting mutual understanding.（86語― 34秒）

Words & phrases

- **minority** 少数（派民族）、マイノリティー
- **walks of life** あらゆる職業の、あらゆる階層の　□ **dominate** 優勢である
- **broaden one's horizons** 視野を広げる
- **mutual understanding** 相互理解

賛成派の主張

① **マイノリティーにもあらゆる仕事に入るチャンスを平等に与える。** 白人男性優位社会である米国は、1960年代に導入した時とまったく同じ理由で差別撤廃措置を必要としている。白人でない人や女性はいまだに就職差別を受けている。真の民主主義社会になるためには、機会均等であるべきで、その実現に差別撤廃措置は必要だ。

② **文化的視野を広げてくれる。** 差別撤廃措置プログラムにより、少数派は自分たちの意見や考えを主張する機会があり、それは米国がどういう社会であるべきかというディベートを巻き起こし、少数派が支配層に疑問を投げかけるよい機会になるし、他の文化をよく知り相互理解を深める。

賛成派に反論してみよう！

どう反論するか決まりましたか？ 必ず自分で考えてから読んでください。

> 賛成派 1-1. **マイノリティーにもあらゆる仕事に入るチャンスを与える。**

企業や政府などに割当量を設け、ある一定数のマイノリティーを雇用するようにしていることを指しています。実はここが物議をかもし出す点でもあるのです。その反論とは、

> 反論 1-1. 平等のチャンスを与えているのではなく、**一定の枠を設けているだけで、真の解放とは程遠い。逆差別を生み出す不公平なものだ。**
>
> **It is not a real chance but just a quota,** far from real liberation, which only generates **reverse discrimination.**

さぁ、皆さんならこの反論に対して、どう切り返しますか？まぁ、確かに単なる割当量、と言ってしまえばそれまでなのですが、やはり何事も定着させていくためには、強制してでも一定量を確保するところから始めるのは必要なことでしょう。このあたりを押していきましょう。

> 賛成派 1-2. 短期的に見れば、**割当量は必要**。一時的にはマイノリティーだけに有利になるとしても、誰もが平等の機会を得て、**真の民主主義国家となるためには**必要なのだ。
>
> In the short run, **quotas must be placed,** even though they temporarily privilege minorities. This measure is necessary to ensure that all groups in society can enjoy equal opportunities. Only then can America claim **to be a real democratic country.**

これに対して、反対派はアジア系アメリカ人の成功を例に取り、マイノリティーに対して何ら特別な措置はもう必要ないのだと主張してくるのが常套手段です。

反対派 1-2.　米国では、**人種差別はもはや問題ではない**のは世論調査にも出ている。カリフォルニアで有名大学へ行っているのはアジア系アメリカ人が一番多く、白人よりずっと成功している。それゆえ、ある一定のマイノリティーに特権を与える必要はない。

Racism is no longer a big problem in the U.S., as opinion polls show. This is also indicated by that fact that Asian Americans have made the largest group at California's most prestigious universities and they are much more successful than whites. Therefore, there is no need to privilege certain minority groups.

ここで一応反論は終わりますが、資料として次のものを挙げておきましょう。

1997 年の人種別平均収入
　白人　　　　　　　　　　$47,000
　黒人、ラテン系アメリカ人　$28,000

1998 年の人種別学歴（25 歳の男性比較）
　白人　　　　　　27.3% が大卒
　黒人　　　　　　13.9% が大卒
　ラテン系アメリカ人　11.1% が大卒

さて賛成派 2 つめの理由は

賛成派 2.　**文化的視野を広げてくれる。**

というものです。差別撤廃措置がマイノリティーたちに発言の機会を与え、それをきっかけに人々は他の人種、文化について改めて深く考える機会を持ち、相互理解が一層深まるというものです。これは「相互理解」をポイントにしないと vague です。さぁ、これにはどう反論しましょうか？

反対派 2-1. 視野を広げるのではなく、差異に人の関心が向き、**かえって人種差別や性差別を悪化させることになる**。

Affirmative action does not broaden people's cultural horizons but actually **it will underscore disparities and aggravates racism and sexism.**

何だか「臭い物にはふたをしろ」式の理屈のようですが、確かに知らなければ何でもないことでも、知ってしまうと意識してしまうこともあり得ます。さてそれに対する反論としては、

賛成派 2-2. **本当の問題点をきちんと理解して、向かい合ってこそ真実の理解が得られる**。差別問題を知らないこと、イコール差別しないことではない。

In order to understand the root cause of the problem, you have to delve into the matter. True fairness is completely different from ignorance of the problems.

これに対しては反対派として次のように、

反対派 2-2. それは理想論であって、現実にはその厄介な問題をめぐって、**激しい論争を巻き起こす**。

It's just wishful thinking. The reality is that affirmative action draws otherwise nonexistent attention to the problem of discrimination, **generating acrimonious debates** and controversies over those sensitive issues such as reverse discrimination.

では、反対派の意見の作り方の一例を示しておきます。

反対派の意見

I'm against affirmative action for the following two reasons.

　Firstly, **it will arouse people's awareness of disparities and therefore exacerbates discrimination against minorities.** Because affirmative action takes the color of people's skin into account, it can never ever create a color-blind society. On the contrary, as long as you advocate affirmative action, you will be caught in a trap of discrimination.

　Secondly, **it will affect the American values of capitalism, and freedom of choice.** Firms, universities and government agencies should be able to choose anyone who they think are suitable for their institutions. Quotas based on races, disabilities, gender or classes will undermine business efficiency and the spirit of the meritocratic society on which the U.S. was built.（107語—43秒）

Words & phrases

- **disparity** 差異　□ **exacerbate** 悪化させる
- **take into account** = **take account of** 〜を考慮する
- **colorblind society** 人種偏見のない社会　□ **be caught in a trap** 罠に陥る
- **undermine** 徐々に衰えさせる

反対派の主張

① 差異があることを人々に思い起こさせ、マイノリティーへの差別を悪化させる。差別撤廃措置に肌の色がついて回る限り、差別撤廃措置により肌の色がない社会、つまり人種差別のない社会を作ることは不可能。逆に差別撤廃措置を支持すれば差別にとらわれていくことになる。

② 米国民の資本主義、自由そして選択といった価値観に影響を与える。会社や大学、政府機関は自分達が的確と思える人物を採用すべきだ。人種、障害、性別、階級に基づいた割当量は、アメリカ社会の基盤である経済効率や能力主義社会の精神を弱体化させる。

「差別撤廃措置」について何でも話せる語彙・表現力 UP トレーニング

★ ワンランク UP 表現

① 差別撤廃措置は少数派にもあらゆる仕事に入るチャンスを与える。

① **Affirmative action** will give minorities more opportunities to enter **various kinds of professions.**

② 差別撤廃措置は、逆差別を生み出し、少数派にチャンスを与えるのではなく、一定の枠を設けているだけである。

② Affirmative action **generates reverse discrimination**, giving minorities not a real chance, but just a quota.

③ 差別撤廃措置は、少数派の意見を奨励し、人々の文化的視野を広げることにつながる。

③ Affirmative action **will broaden people's cultural horizons**, encouraging minorities to voice their own opinions.

④ 差別撤廃措置は、人々の視野を広げるのではなく、差異を強調し、人種差別や性差別を悪化させるのである。

④ Affirmative action does not broaden people's cultural horizons, but underscores **disparities and thus aggravates racism and sexism.**

⑤ 人種、障害、性別、階級に基づいた割当量は、経済効率や能力主義社会の精神を弱体化させる。

⑤ Quotas based on races, disabilities, gender or classes will **undermine business efficiency and the spirit of this meritocratic society.**

⑥ 企業や大学は、経歴にかかわらず、職(ポスト)にふさわしい最高の人物を採用するべきである。

⑥ Companies and Universities should choose the best person who deserve a position, **irrespective of his or her background.**

⑦少数派を**優遇したがために**、能力が高い人物が不採用となる可能性がある。

⑦ Individuals with better qualifications could be rejected **in favor of** the less able minorities.

政治・法律のトピックに強くなる！（Part 4）
Should Japan seek permanent status on the UN Security Council ?
日本は国連安全保障理事会の常任理事国になろうとするべきか

　日本は国連（the United Nations）の安全保障理事会（Security Coucil）の非常任理事国（a non-permanent member of the Security Council）を加盟国（member states）中最多の8回にわたって務めてきましたが、常任理事国入りをしたことはありません（Japan has not obtained a permanent seat yet）。

　現在の安保理の常任理事国（permanent members of the UN Security Council）は、アメリカ、イギリス、ロシア、フランス、中国のいわゆる五大国（the Big Five）です。これらの国々は、第二次世界大戦（World War II）の戦勝国（victor countries）だったために常任理事国に選ばれましたが第二次大戦の敗戦国（defeated countries）だった日本、ドイツ、イタリアは、現在のところ常任理事国にはなれません。

　現在、日本とドイツの常任理事国入りを中心とした安保理改革協議が進行中ですが、決着のめどはついていません。1999年6月のケルンサミットでは、英国のブレア首相が日本の常任理事国入りに理解を示しました。

国連安全保障理事会と常任理事国の権限

　国連安全保障理事会は国連の主要機関で、世界平和を守るために（to maintain world peace）設置されました。国連総会（UN General Assembly）が世界的な問題を何でも討議できるのに対して、安全保障理事会は、平和と安全保障（security）の問題だけを取り扱います。また、安保理は紛争解決（conflict resolution）のための勧告や、侵略行為に対する経済制裁（economic sanctions）の要請などの権限を持ち、非軍事的（nonmilitary）手段では不十分と判断された場合は軍事行動（military operations）も承認します。国連の全加盟国（all the member states of the United Nations）

は、安全保障理事会の決定を承認し、これを実施することに同意しています。

　安全保障理事会は、前述した5ヵ国の常任理事国と、10ヵ国の非常任理事国とで構成されており、非常任理事国は、地理的代表の原則に基づいて、総会が2年の任期で選びます。なお、10ヵ国の地域配分は、アフリカ3、アジア2、東欧1、中南米2、西欧その他2となっています。

　総会と違って、安全保障理事会は定期会合（**periodic assembly**）を開きませんが、その代わりに、いつでも短期間で招集することができます。国連の加盟国（**member states**）であるかどうかに関係なく、いかなる国も、また、事務総長（**Secretary General of the United Nations**）も、紛争あるいは平和への脅威（**threat to world peace**）について、安全保障理事会の注意を促すことができます。

　安全保障理事会の議長は、理事国が交代で1か月ずつ担当します。その順番は、英語表記の国名のアルファベット順で（**in alphabetical order**）決められます。

　安全保障理事会での投票は、総会での投票とは違っており、安全保障理事会で重要な決議を通過させるためには、9か国の理事国が賛成の投票をしなければなりませんが、5つの常任理事国のうち1か国でも決議案に反対票を投じた（**vote against the motion**）場合、これは拒否権（**veto**）と呼ばれて、決議は通過しないことになります。

　なお安保理の下部機構として、加盟審査委員会（**Committee on the Admission of New Members**）、軍事参謀委員会（**Military Staff Committee**）、平和維持活動（**Peacekeeping Operations**、略称 **PKO**）があります。

　以上をまとめると、安全保障理事会というのは国連の主要機関であり、世界平和を守るために作られたものだ、ということになります。そして、常任理事国は、安全保障理事会の議長を務め、また、拒否権、と呼ばれる特別な権限を持つ、ということを押さえておきましょう。

　それでは日本の安全保障理事会常任理事国入りに賛成する人たちの意見を検討してみましょう。

賛成派の意見

Q. 賛成派の意見を読んで、反論のしかたを考えてみましょう。

I believe that Japan should seek permanent status on the UN Security Council for the following two reasons.

First, **Japan should have the power and the right commensurate with the amount of its donation.** It is the second largest financial contributor to the UN budget and to its voluntary funds. This fact supports the growing view that Japan should be rewarded with a greater ability to influence the decisions of the world organization.

Second, **Japan is a qualified country to lead the UN because of its growing influence in the field of politics and economy.** Japan stands as the second greatest power in economic terms, and an important pillar of multilateral cooperation. Therefore, it is unreasonable to put Japan just as an outsider away from every important issue on world politics.
(115 語 — 46 秒)

Words & phrases

- **commensurate with** ～と釣り合った、比例した
- **voluntary** 任意の寄付で維持される、無償の
- **in economic terms** 経済面で　　**pillar** 支柱、柱石
- **multilateral cooperation** 多国間協力

賛成派の主張

① **日本は寄付金の額に釣り合った力と権利を持つべきである。** 日本は国連予算と任意の寄付で維持される資金に2番目に多額の金を出資している。この事実によって、この世界的な機関の決定に対するより大きな影響力を日本は見返りとして与えられるべきだという、最近強まっている見方が正当化される。

② **日本は経済と政治の分野での影響力が大きくなっているので、国連を主導する資格がある国である。**日本は経済の面で2番目に重要な大国であり、多国間協力の重要な支柱である。それゆえ、世界政治における重要な課題の全てに関して日本を単に局外者として扱うことはおかしい。

いかがでしょうか。それでは、上記の主張に対する反論を考えてみましょう。

> 賛成派1-1. 日本は**寄付金の額に釣り合った力と権利**を持つべきである。

日本の安保理常任理事国入りに賛成する人は、まずこのことを理由に挙げます。多額の金を出しているのだから、当然その見返りがあるべきだ、ということになります。これに対して、現在の日本の経済状況の反論はいかがでしょうか。

> 反論1-1. 安保理の常任理事国としての責務を負うと、**経済的な負担が増える**ことになるだろうが、長引く景気後退のもとでは、**日本にはこれ以上寄付をする余裕はない。**

> The duties that go with a permanent status on the Security Council may mean **an increased financial burden** on Japan, but **Japan cannot afford to make any more contribution** under the prolonged recession.

この権利を持つべきでない理由を証明するダイレクトな反論ではなく、45度ずれていますが、「権利には義務はつきもの」と関連づければよくなります。

次に、賛成派の2つ目の理由ですが、これは1つ目の理由と経済の面でオーバーラップしています。。

> 賛成派2-1. 日本は経済と政治の分野での影響力が大きくなっているので、**国連を主導する資格がある**国である。

これに対する反論として、一般的なのは次のようなものです。

> 反論2-1. 日本の**戦争放棄の憲法に違反することになるので、日本は軍事的貢献をすることができない。**だから、現在の地位で十分である。

> **Japan cannot make military contributions** because it constitutes a violation of Japan's war-renouncing constitution, which necessitates maintaining the status quo.

上記の意見に対して、賛成派は、国連と安全保障理事会に関する知識があれば、以下のように反論することができます。

> 賛成派 2-2. 日本は国連軍に協力するべきである。なぜなら、そのような協力は国連憲章の第 43 条のもとでは**国連加盟国の義務**だからである。第 43 条には、「国連の全加盟国は、国際平和と安全を維持するという目的のために必要な……**軍事力**（を行使できるようにして）……安全保障理事会の要請にこたえられるようにする。」とある。
>
> Japan should cooperate with the Security Force because such cooperation is **an obligation of member states of the United Nations** under Article 43 of the UN Charter. It says, "all members of the United Nations undertake to make available to the Security Council on its call…**armed forces**…necessary for the purpose of maintaining international peace and security."

この意見にさらに反論するには、何と言えばいいでしょうか。軍事力を行使しないで、戦争放棄の憲法に違反せずに、国際平和を守ることが目的の安全保障理事会の要請に応じる方法はある、という議論を展開してみましょう。

> 反論 2-2. **日本は軍事力を行使しなくても、国際平和と安全の維持に貢献することができる。**世界における日本のより大きな役割はまず核不拡散とアジアにおける信頼醸成のモデルになることである。したがって、日本は安保理の常任理事国になる必要はない。
>
> **Japan can contribute to the maintenance of global peace and security without using military force.** A greater role for Japan on the

world stage could begin with becoming a model of non-proliferation of nuclear and confidence-building in Asia. Therefore, Japan does not have to be a permanent member of the Security Council.

相手の意見を聞いて、なるほど、そのとおりだ、と思っても、反論するのをあきらめないでください。トピックに関する背景知識が十分にあり、また、強い argument をしていれば、反論することができるはずです。

それでは、今まで見てきた賛成派に対する反論を踏まえて、反対派の意見を組み立ててみましょう。

反対派の意見

I don't think that Japan should seek permanent status on the UN Security Council for the following two reasons.

First, **Japan cannot afford to make any more contribution under the prolonged recession.** The duties that go with a permanent status on the Security Council may mean an increased financial burden. Given that Japanese economy is so sluggish that the government has reduced ODA, it may be impossible for Japan to provide more financial resources for the United Nations.

Second, **Japan cannot make military contributions because it constitutes a violation of Japan's war-renouncing constitution.** Permant membership gives Japan no choice but to make a serious commitment to collective military action, which necessitates maintaining the status quo.（96 語― 38 秒）

Words & phrases

□ **prolonged recession** 長引く景気後退　□ **go with** 〜に伴う
□ **given that** 〜を考えれば　□ **sluggish** 停滞した、景気がよくない

- ☐ **war-renouncing constitution** 戦争放棄の憲法
- ☐ **commitment** 参加   ☐ **collective action** 集団行動

> 反対派の主張

① **長引く景気後退のもとでは、日本にはこれ以上寄付をする余裕はない。**安保理の常任理事国としての責務を負うと、経済的な負担が増えることになるだろう。日本の景気が停滞していて、政府がODAを削減したことを考えると、日本が国連のために今より多くの財源を提供することは不可能であろう。

② **日本の戦争放棄の憲法に違反することになるので、日本は軍事的貢献をすることができない。**常任理事国になれば日本は本格的な集団的軍事行動を余儀なくされる。故に、現在の地位で十分である。

「国連安全保障理事会」について何でも話せる語彙・表現力 UP トレーニング

① 日本の**経済力と政治力**のために、**日本の安全保障理事会常任理事国入り**に対する幅広い支持がある。

② **憲法第9条**があるから、日本は他国と戦わない。

③ 日本は1994年9月27日に、国連安全保障理事会の常任理事国になりたいという**意向を表明**した。

④ **改革された安全保障理事会**は、様々な問題を地理的、歴史的見地から考慮すべきである。

⑤ 日本は「**カネの外交**」にふけっていることで批判されている。

⑥ 日本が**アメリカとは関係なく行動を起こす**意志があるかどうかは重要な問題である。

① There is wide support for **Japanese permanent membership of the Security Council** because of its **economic and political potential.**

② **Article 9 of the Constitution** prevents Japan from fighting against other nations.

③ Japan **expressed its willingness** to become a permanent member of the UN Security Council on Sep 27, 1994.

④ The **reformed Security Council** should view various issues from geographic and historical perspectives.

⑤ Japan is criticized for **indulging in "cash diplomacy."**

⑥ Whether Japan is ready to **take action without relating to the U.S.** is a crucial issue.

第6章

アーギュメントに強く
なるためのキーアイデア集

1 教育 (Education)

　さて皆さん、以上でアーギュメントに強くなるための大特訓はすべて終了ですが、最後にその他の社会問題のトピックにおいてもすらすらと英語が発信できて、プレゼンやディスカッションやディベートがうまくできるように、アーギュメント実践トレーニングでカバーしたものも含めその他のトピックの **pros and cons**（賛否両論、メリット・ディメリット）を始めとするキーアイデア（outline）の一例をここで紹介しておきましょう。

● Should Japanese senior high schools be made compulsory ?
（高校を義務教育にすべきか？）

Pros	Cons
1. It can raise the academic standard of Japanese students as a whole. （日本人生徒の教育水準を全体的に上げる。）	1. It is a waste of time for students who seek nonacademic careers. （進学、学歴を望まない生徒にとっては時間の浪費となる。）
2. It alleviates unhealthy competition among junior high school students for admission to senior high school. （中学生が高校に入るために行っている不健全な受験競争を緩和する。）	2. It will make our society more academic background-oriented. （学歴志向社会に拍車をかける。）

● Should the current English education in Japan be reformed ?
（日本の英語教育は改革すべきか？）

Pros	Cons
1. The current English education is not effective in the acquisition of communication skills highly valued in	1. Good knowledge of English grammar is essential for the acquisition of English.

globalizing society. (グローバル化社会で重んじられるコミュニケーションスキル習得に効果的でない。)	(英文法に精通することは英語の習得に不可欠である。)
2. The prevailing grammar-translation approach is not effective in improving reading as well as listening comprehension abilities. (よく行われている文法・訳読方式では、リーディング・リスニング能力がつかない。)	2. The translation-oriented approach can provide an insight into both English and Japanese "languacultures" (frames of reference), thus broadening students' cultural horizons. (読解方式は、英語と日本語の発想の違いに対する洞察力を深め、生徒の文化に対する視野を広げる。)

◉ Should home-schooling be more available in Japan?
（ホームスクールはさらに普及すべきか？）

Pros	Cons
1. It can protect children from bullying at school. (学校でのいじめから子供達を守る。)	1. It decreases the chance to interact with other students and teachers, thus hampering the development of social skills. (他の生徒や教師と触れ合う機会が減るので、社会性を育みにくい。)
2. It can effectively develop individual qualities and talents. (個性や才能を効果的に伸ばすことができる。)	2. Lack of competitive educational environments will undermine students' motivation for study. (競争のない学習環境は、学習意欲を損ねる。)

● Do computer games harm the development of children?
（コンピュータゲームは子供の発育に有害か？）

Pros	Cons
1. They will harm their physical health, causing eye strains, bad postures, and lack of physical exercise. （目の疲れ、悪い姿勢、運動不足などで、健康を損ねる。）	1. They can develop various abilities ranging from spatial intelligence to concentration to reflexes. （コンピュータゲームは空間把握能力や集中力、反射神経などさまざまな能力を高める。）
2. They will harm their mental health. Prolonged exposure to violence can pervert their mind. （精神衛生上悪い。長時間暴力的なゲームをすれば子供の心は蝕まれる。）	2. They provide good conversation pieces for children, thus building good relationships among them. （話題を作り、友達関係がうまくいきやすい。）

● How will the decreasing number of students affect education in Japan?
（減少している生徒数が、どのように日本の教育に影響するか？）

1. It will allow teachers to better control or discipline their students through increased attention to individual students.
   （教師は一人一人の生徒により注意を払えるので、より目が行き届き躾もしやすくなる。）
2. Increased interactions between teachers and students can improve teaching effectiveness, thus enhancing the quality of education.
   （教師と生徒がより触れ合い教育効果が上がることで、教育の質が高まる。）

● The value of life-long learning / Lifelong education
（生涯教育の価値）

1. It allows people to acquire job skills that can meet the changing needs of the business world.

（時代のニーズにあった職業技能を身につける）
2. It will broaden their horizons.
　　（視野を広める。）
3. It can build up a network of acquaintances.
　　（知人の輪が広がる。）
4. It can keep their intellectual abilities from declining.
　　（知的能力の衰えを防ぐ。）
5. It will give people something to live for.
　　（生きがいを与える。）

● Should moral values be taught in school ?
（道徳教育は学校で教えられるべきか？）

Pros	Cons
1. It can compensate for lack of moral education or parental discipline at home. （家庭における道徳教育や躾の不足を補う。）	1. It will lead to a decline in the overall academic standard of Japanese students. (School education should be focused on teaching academic subjects.) （日本の生徒全体の学力を下げる。［学校では学問のみすべき。］）
2. Moral education can be provided more effectively at school than at home. （家庭より学校の方が、より効果的に道徳教育を行いやすい。）	2. It can lead to ideological control of students which is exemplified by totalitarian governments. （全体主義政府に見られるように、生徒を思想的に管理することになりかねない。）
	3. There are no clear guidelines for moral education. （明確な道徳教育の指針がない。）

● Is a five-day school week beneficial for students ?
（週五日制は生徒のためになるか？）

Pros	Cons
1. It encourages them to do more extracurricular activities so that they can become well-rounded persons. （課外活動を促し、円満な人材を育てる。） 2. Decreased workload allows them to spend more time with their parents, thus strengthening family ties. （学習量が減少し親との時間が増え、家族の絆が強まる。）	1. It will only increase "juku sessions" to compensate for insufficient study at school. （学校での不十分な学習を補うため、塾の時間が増えるだけだ。） 2. It can lead to an increase in juvenile delinquency. （非行の増加につながる［暇になるとろくなことがない。］）

● Should English be included in university entrance exams in Japan ?
（大学入試に英語は必要か？）

Pros	Cons
1. It will enhance students' motivation for English study. （生徒の英語への学習意欲を高める。） 2. The level of command of English can be a good criterion for college admission. （英語運用能力は大学入学の良い判断基準となる。）	1. It will discourage students from acquiring communication skills in English. （コミュニケーションの手段として英語を習得しにくくなる。） 2. It can make students allergic to English study. （英語の勉強を嫌いになる可能性もある。）

● The pros and cons of teacher evaluation by students at high school.
（高校生による教師評価の賛否両論）

Pros	Cons
1. It will enhance the quality of education. （教育の質を高める。）	1. Students under the age of twenty are not mature enough to evaluate their teachers properly. （20歳以下の生徒は教師を適切に評価するほどの分別はない。）
2. It brings fairness to class, which is a basic tenet of democracy. （民主主義の基本であるフェアネスをクラスにもたらす。）	2. Teacher evaluation by students is not reliable because it will make a teaching profession a popularity contest. （教えることより、人気取りになるので当てにならない）
	3. Teacher evaluation can undermine teachers' authority which is necessary to discipline students. （生徒を躾けるために必要な教師の威厳を損ねる。）

● Should colleges grant credits for volunteer activities ?
（大学はボランティア活動に単位を与えるべきか？）

Pros	Cons
1. It will encourage more students to participate in much-needed volunteer activities. （需要が高いボランティア活動への、学生の参加を促す。）	1. It goes against the spirit of volunteerism. （ボランティアの精神に反する。）

2. It can facilitate students' volunteer activities they are already engaged in. (Much-needed volunteer activities by college students are often interrupted by their school work.) （既にボランティアに従事している学生の活動を奨励する。）［大学生のボランティア活動は需要が高いのに、学習のために断念されやすい。］	2. It is difficult to evaluate volunteer activities. （ボランティア活動を評価することは難しい。）

● Should computers be introduced more into school education?
（コンピューターはもっと学校教育に導入されるべきか？）

Pros	Cons
1. It will provide each student with tailor-made education. （個々の生徒に応じた教育ができる。）	1. Installing and maintaining computers are very costly. （コンピューターの導入・維持は、高くつく。）
2. It enables students to access a vast amount of information, facilitating their research to write papers. （生徒は大量の情報にアクセスでき論文を書くための調査がしやすくなる。）	2. Computers will have harmful effects on students' health. （コンピューターは生徒の健康に悪影響を与える。）
3. It will simplify and streamline office work for teachers. （教師の事務を簡素・合理化する。）	

● Causes and effects of bullying at school
（いじめの原因と影響）

Causes	Effects
1. Lack of discipline by parents and teachers. （両親と教師の躾不足。）	1. Home schooling is increasing. (Bullied students refuse to go to school.) （ホームスクールの増加［いじめられている生徒は登校しない。］）
2. Strains and stresses caused by exam-centric education. （試験中心の教育からくる重圧やストレス。）	2. Some bullied children commit suicide or crime. （いじめにあい自殺したり、犯罪を犯す子供もいる。）

● Are you for or against English education in elementary schools ?
（小学校の英語教育における賛否両論）

Pros	Cons
1. Six-year study at high school is not enough for the acquisition of English. （中学、高校での6年間の勉強は、英語の習得に不十分である。）	1. It can be an additional academic burden on children. （子供の学習負担となる。）
2. Earlier start can greatly facilitate phonetic learning. （早期教育は音声面での学習を容易にする。）	2. It will hamper the acquisition of their mother tongue. （母国語習得の妨げとなる。）

● Should school teachers share the responsibility of parenting?
（教師は親の責任を共有すべきか？）

Pros	Cons
1. Teachers can compensate for a lack of discipline at home. （教師は家庭の躾不足を補ってやれる。）	1. Teachers are too busy to do things other than teaching academic subjects. （教師は教科を教えるので手一杯。）
2. Teachers are responsible for disciplining of their students to prepare them to become a full-fledged member of society. （生徒が社会の一員として、一人前に成長するよう躾をするのも教師の責任である。）	2. It is difficult for teachers to treat every student equally in parenting of students with different personalities. （教師が親のように、異なる個性を持つ生徒全員を平等に面倒見ることは難しい。）

2 テクノロジー(Science and Technology)

● The pros and cons of nuclear power generation
（原子力発電における賛否両論）

Pros	Cons
1. It is the most efficient way of power generation. （発電効率が最高。）	1. It can cause a radiation leak. （放射能漏れを引き起こす可能性あり。）
2. It generates emission-free energy. （クリーンエネルギーを生み出す。）	2. It poses the problem of nuclear waste disposal. （核廃棄物処理の問題がある。）
3. It can bring a stable supply of electricity. （安定した電気供給ができる。）	

● Will the Internet harm interpersonal communication ?
（インターネットは人と人のコミュニケーションを阻害するか？）

Pros	Cons
1. It discourages users from face-to-face communication with each other. （直接人と会おうという気をなくさせる。）	1. It allows users to convey their feelings to others and exchange ideas with each other more often and more easily. （より頻繁に簡単に、感情や考えを伝えやすい。）
2. It encourages users to withdraw from other people with a growing sense of isolation.	2. It allows users to communicate with each other any time anywhere in the world.

（ひきこもりの原因となり、ユーザーの孤立感を助長する。）	（世界中どこでもいつでもコミュニケーションできる。）

● The value of space exploration
（宇宙開発の価値）

1. It contributes greatly to advancement in science and technology. (i.g. the creation of superhigh-quality materials)
   （科学とテクノロジーの発展に大きく貢献する。[超高品質素材の生成など。]）
2. It contributes to the promotion of global peace and cooperation.
   （世界平和と相互協力の進展に貢献する。）
3. It will bring about economic growth through the development of the space industry.
   （宇宙産業の発展を通じて経済成長をもたらす。）
4. It can find another planet to live. (Overpopulation problems can be solved if immigration to other planets is realized.)
   （別に住める星を見つけられる。[他の惑星への移住が実現すれば、人口過剰問題は解消される。]）

● The reason for the popularity of computer games
（コンピューターゲームの人気）

1. Because they have high-quality images and sound that give players a feeling of actually "being there".
   （高画像とサウンドはプレーヤーに臨場感を与える。）
2. Because they have intriguing plots.
   （おもしろい筋書きになっている。）
3. Because they are so challenging and addictive. (They give players a sense of accomplishment.)
   （難しいゆえに夢中にさせる。[達成感を与える。]）

◉ Advantages and disadvantages of office automation
（OA 化の長所・短所）

Pros	Cons
1. It makes business operations efficient. （仕事の効率をよくする。）	1. It can cause a "digital divide" between technically disabled people and able people. （技術的にできない者とできる者との間で情報格差を引き起こす。）
2. Elderly people and handicapped people can broaden their business activities by advanced technologies. （年配者や障害者の仕事領域がハイテクで広がる。）	2. It can invade personal privacy. （個人のプライバシーを侵害しうる。）

◉ Merits of public transportation
（公共交通機関のメリット）

1. It saves energy because it is more energy-efficient.
   （エネルギー効率がよいため、エネルギー節約になる。）
2. It saves time especially in heavily congested areas because it keeps the schedule.
   （大渋滞地域でも時間どおりなので、時間が節約できる。）
3. It saves many lives by reducing traffic accidents.
   （交通事故を減らし、多くの人命を守る。）

●The pros and cons of genetic engineering
（遺伝子工学に対する賛否両論）

Pros	Cons
1. It can alleviate food shortage. (Breed improvements will create pest-and-herbicide-resistant plants with a longer shelf life. It will make possible faster growth of livestock and the creation of high-quality dairy products and fish.) （食料不足を解消する。［品種改良によって害虫や除草剤に強く日持ちの良い植物ができる。又、家畜の成長を促し、高品質の酪農製品や魚を作り出せる。］） 2. It can cure hereditary or incurable diseases such as cancer, AIDS, diabetes, etc. （癌やエイズ、糖尿病などの遺伝病あるいは不治の病を治すことができる。）	1. It will undermine the ecosystem. （生態系を損なう。） 2. It can pose great health risks to human beings. （人間の健康を脅かす可能性がある。） 3. It can cause various forms of discrimination. （遺伝子が原因となってさまざまな差別を引き起こす。） 4. The abuse of human cloning by criminals has disastrous consequences. （ヒトクローンが犯罪に利用されると恐ろしい状況になる。）

● How will technology benefit the aging society ?
（テクノロジーは高齢化社会にどう役立つか？）
1. The Internet will give elderly people more tailored medical treatments.
   （インターネットは、高齢者に、より行き届いた医療を提供する。）
2. Organ transplant technology will prolong elderly people's lives.
   （臓器移植技術で高齢者の寿命を延ばす。）
3. Robot technology will make elderly people's lives more comfortable.
   （ロボット技術で高齢者の生活をより快適にする。）

● The pros and cons of online shopping
（オンラインショッピングに対する賛否両論）

Pros	Cons
1. It saves time and transportation costs for shopping. （時間と交通費の節約となる。）	1. Shoppers' personal information can be revealed or misused. （買い物客の個人情報が公表・悪用される可能性あり。）
2. It gives consumers a wider variety of choice. （消費者に広範囲の選択肢を与える。）	2. Shoppers easily fall victim to fraud. （買い物客は詐欺にだまされやすい。）

● The future roles of robots in daily life
（日常生活におけるロボットの未来の役割）
1. They serve as a home-care robot.
   （家事ロボットとして役立つ。）
2. They serve as a nursing- care robot.
   （介護ロボットとして役立つ。）
3. They serve as a loving [companion] robot.
   （愛情ある［相棒］ロボットとして役立つ。）

3 健康・医学 (Medicine)

● Should doctors be permitted to help terminally ill patients die ?
（医師は末期患者を安楽死させてよいか？）

Pros	Cons
1. Doctors should relieve terminal patients from agonizing pains. （医師は末期患者を苦痛から解放すべき。）	1. It goes against doctors' duty to save lives. （命を救う医師の義務に反する。）
2. Human beings deserve dignity in death as in life. （人は死の際も生存中同様尊厳を持つべきだ。）	2. It will lead to abuses. （乱用される。）
	3. Life is too sacred for human beings to intervene. （命は神聖で人類が介入できるものではない。）

● Should doctors tell the truth to cancer patients?
（医師はガン患者に告知すべきか？）

Pros	Cons
1. It will give them a chance to make the most of their remaining period of their lives. （ガン患者が余生を有意義に生きるチャンスを与える。）	1. Depression will aggravate patients' physical conditions. （絶望感が患者の状態を悪化させる。）
2. It can facilitate cancer treatments. （ガン治療を進めやすくなる。）	2. It is too agonizing for them. （Anticipation of death is more agonizing than death itself.）

	（あまりにも苦痛だ。［死を待つことは死そのものより苦痛。］）
3. Truth-telling will improve doctor-patient relationships. （真実を話せば、医師と患者の関係がよくなる。）	3. It can strain relationships between patients and their close relatives. （患者と近親者の関係に問題を引き起こす。）
4. The so-called "closed awareness" situation will give them a sense of isolation. （いわゆる"本人だけ知らない"状況は、ガン患者に孤独感を与える。）	

● The causes and effects of young people's obsession with dieting
（若者のダイエットへの執着）

Causes	Effects
1. Glamorization of slim bodies by the media. （メディアがスリムな体を美化していること。）	1. Eating disorders. （摂食障害。）
2. Their low self-esteem and obsession with the perfect body. （低い自己評価と肉体美への執着。）	2. Lack of nutrition, and in worst cases death. （栄養不足、最悪の場合死に至る。）

● Banning smoking in public places
（公共の場での喫煙禁止）

Pros	Cons
1. Smoking will damage nonsmokers' health. (Nonsmokers' right to avoid smoke outweighs smokers' rights to smoke.) （喫煙は非喫煙者の健康を損ねる。［嫌煙権は喫煙権を上回る。］）	1. Smokers' rights to smoke should be protected. （喫煙権は保護されるべきである。）
2. Smoking is a fire hazard. （火災の危険性。）	2. Smoking in designated areas will not harm nonsmokers' health. （指定場所で喫煙すれば、非喫煙者の健康を損ねない。）
3. Smoking is an environmental hazard. (It can cause air pollution and littering.) （環境破壊の危険性。［大気汚染や吸殻ゴミ。］）	
4. It is a waste of money to make designated areas for smoking. （喫煙場所を設けることはお金の無駄使いである。）	

● Why are we too dependent on doctors and medicines?
（なぜ我々は医師と薬に頼りすぎるのか？）

1. It is because of lack of informed consent（the practice of doctor worship in Japan）.
   （インフォームドコンセントの欠如。［日本では医者には黙って従うものとなっている。］）

2. It is because of decline in natural healing power of human beings.
   （人類の自然治癒能力の低下。）

3. It is because of the prevalence of symptomatic treatments rather than preventive medicine.
   （予防療法より対症療法が広く普及しているため。）

● The causes of the increase in the number of young Japanese smokers
（日本の若者の喫煙増加の原因）

1. They are influenced by cigarette advertisements that project a cool image of smoking.
   （喫煙はカッコいいというイメージを売る広告に影響されている。）

2. They believe that smoking will help lose weight.
   （タバコを吸えば体重が減ると思い込んでいる。）

3. They try to make themselves look like a mature adult（minors are not allowed to smoke and thus smoking is considered as a symbol of adulthood）.（1.と関連）
   （喫煙で成熟した大人のように見せたがる。［未成年者は禁じられている喫煙を、大人のシンボルとみなしている。］）

4 ビジネス・経済 (Economy and Business)

● **Should companies adopt a more casual dress code?**
（会社はカジュアルな服を認めるべきか？）

Pros	Cons
1. It contributes to energy conservation. （省エネに貢献。）	1. It will lower workers' productivity. （生産性を低める。）
2. It will increase productivity of workers engaged in creative jobs. （クリエイティブな仕事の労働者の生産性を高める［リラックスしてアイデアも浮びやすい］。）	2. It will decrease workers' loyalty to their companies. （会社に対する忠誠心を弱める。） 3. It will cause more sexual harassment. （もっとセクハラを引き起こす。）

● **Why do more young people prefer not to work full-time?**
（なぜ若者はフルタイムで働きたがらないか？）

1. They do not want to devote themselves to one company.（They want a carefree lifestyle）.
   （一つの会社に献身することを望んでいない。［気楽なライフスタイルを望んでいる。］）
2. They want to work part time before they find a better job.
   （より良い仕事を見つけるまでパートタイムで働いているだけ。）
3. They want to broaden their work experience by doing many part-time jobs.
   （パートタイムで、多くの仕事をして、いろいろな経験を積みたいと思っている。）

● Telecommuting - the pros and cons of working from home
（テレコミューティングー自宅勤務に対する賛否両論）

Pros	Cons
1. It can save time and money to commute. （通勤時間と交通費の節約。）	1. Relaxing atmosphere with no supervision will decrease productivity. （監視がなく緊張感がない仕事環境は生産性を下げる。）
2. It will alleviate traffic congestion and a commuting rush. （交通渋滞や通勤ラッシュを緩和する。）	2. It will decrease interactions with other people. （他の人とコミュニケーションする機会が減る。）
3. It will increase job opportunities for many people, including handicapped people. （障害者を含め多くの人にとって仕事の機会が増える。）	

● The increasing problem of credit card debt
（増加するクレジットカード負債問題）

1. Increasing personal bankruptcy can cause social chaos, increasing personal bankruptcy.
   （支払い不能者が増えていくと社会的混乱が起きる。）
2. It will cause further moral deterioration.
   （さらなるモラルの低下を招く。）

● Has the Japanese work ethic changed?
（日本の労働倫理は変化したか？）

Pros	Cons
1. Workers no longer put their career before their family. (increasing desire	1. Most workers still work diligently for long hours without taking day-

to seek their personal pleasure) （労働者が家族より仕事を優先することはない。[個人の楽しみを追求するようになった。]） 2. Workers change their jobs easily. (decline in loyalty to their companies) （労働者はすぐ転職するようになった。[会社への忠誠心の低下]）	offs or holidays. （大部分の労働者は、いまだに休暇も取らずに長時間働いている。）

● How will the aging society affect Japanese economy ?
（高齢化は日本経済にどう影響するか？）

1. It will increase the need for female or foreign labor force.
   （女性や外国人労働力がさらに必要となる。）
2. It will develop industries geared for elderly people.
   （高齢者向けの産業が発達する。）

● Problems facing temporary workers
（臨時社員が直面する問題）

1. They will be easily dismissed/ laid off.
   （解雇されやすい。）
2. They don't receive fringe benefits.
   （付加給付がない。）

● Illegal workers from abroad
（海外からの違法労働者）

1. It can increase crime rates in Japan.
   （日本での犯罪率を増やす。）
2. It will cause the problem of worker exploitation.
   （労働者搾取問題を引き起こす。）

5 エコロジー (Environment)

● How can we decrease waste [garbage]?
（ゴミを減らす方法は？）

1. By imposing stricter regulations on illegal dumping of industrial waste.
（産業廃棄物の違法投棄に、もっと厳しい規則を課す。）
2. By promoting recycling through media campaigns or education at school. (educational campaigns for recycling.)
（マスコミのキャンペーンや学校教育を通じてリサイクルを促進する。）
3. By eliminating unnecessary wrapping and excessive packaging.
（不必要・過剰な包装をなくす。）

● The function of zoos in modern society
（現代社会における動物園の役割）

1. They provide shelter for endangered species.
（絶滅種を保護する。）
2. They serve as a place to learn about animals. (educational purposes)
（動物について学べる場所として役立つ［教育目的］。）
3. They provide leisure activities.
（娯楽の場となる。）

● Protecting animals in danger of extinction
（絶滅の危機に瀕した動物の保護）

Effects	Countermeasures
1. The extinction of species caused by environmental degradation will undermine the ecosystem, and thus disturb the food chain. （環境悪化による種の絶滅は生態系を損	1. By imposing much stricter regulations on the poaching and trading of endangered species. （絶滅の危機に瀕した種の密猟や取り引

265

ね、食物連鎖を乱す。)	きに、より厳しい規則を課す。)
2. Human beings have to compensate for the extinction of countless species. (人類は数えきれない種を絶滅させた償いをしなくてはならない。)	2. By promoting awareness movements for the protection of endangered species. (絶滅の危機に瀕した種を保護しようという意識を高める。)
	3. By creating more sanctuaries. (もっと鳥獣保護区を設ける。)
	4. By breeding endangered animals in captivity. (絶滅の危機に瀕した種を捕獲して繁殖させる。)

● The effects of changes in the world's weather
（世界の気候変化による影響）

1. More frequent coastal flooding.
   （より頻繁になった沿岸部の洪水）
2. Severer droughts and desertification.
   （より厳しい干ばつや砂漠化）
3. The spread of tropical diseases.
   （熱帯病の広がり）
4. Deforestation.
   （森林破壊）

● Should Japan adopt daylight-saving time (summer time)?
（日本はサマータイムを採用すべきか？）

Pros	Cons
1. It will save energy. （省エネになる。）	1. It will cause unnecessary confusion. （不必要な混乱をまねく。）
2. It will encourage people to make the most of longer daytime hours during the summer. （夏の間長くなった時間を最大限に利用できる。）	2. It will encourage people to work longer. （より長時間仕事をするだけだ。）
3. It will decrease the emission of CO_2. (A survey conducted by the government concludes that daylight-saving time cuts it.) （CO_2の排出を減らす。[政府の調査でサマータイム制だとCO_2排出が減少すると結論づけた。]）	

● The population explosion in developing countries
（開発途上国における人口爆発）

Problems	Countermeasures
1. Food shortage. （食料不足）	1. Education about reproduction and contraception. （生殖・避妊に関する教育）
2. Housing problems. （住居問題）	2. Providing entertainment to decrease reproductive activities. （娯楽を与えて生殖活動を減らす。）
3. Health problems （健康問題）	

● The roles of forests in the world ecology
(世界の生態系における森林の役割)

1. They absorb CO_2 and produce oxygen.
   (CO_2 を吸収し酸素を生成する。)
2. They can prevent flooding and droughts.
   (洪水や干ばつを防ぐ。)
3. They provide natural habitats for a variety of species.
   (様々な種の生息地となる。)

6 メディア (Mass Media)

● Will books eventually be replaced by electronic media ?
（本はやがて電子メディアに取って替わられるのか？）

Pros	Cons
1. Electronic media contain much more information than books that is enough to meet the growing needs of information-oriented society. (電子メディアには本よりはるかに大量の情報があり、情報社会の高まるニーズに見合う。)	1. You can read books anywhere without hardware. (ハードウェアなしで、本はどこでも読める。)
2. Electronic media give audiovisual information which is in increasing demand. (電子メディアは需要が高まっている視聴覚情報を提供する。)	2. Fear of health risks posed by electronic media encourages people to shy away from the use of them. (e.g. eye strain) (電子メディアは健康を脅かす可能性があるので、敬遠する人がいる。)
3. Electronic media are eco-friendly because of no use of paper. (電子メディアは紙を使用しないので環境に優しい。)	3. Many books have enough aesthetic value to become part of interior decoration. (多くの本は室内装飾の一部にもなる美的価値を持つ。)

● Should cigarette advertisements be banned ?
（タバコ広告は禁止すべきか？）

Pros	Cons
1. It will decrease the number of smokers vulnerable to those ads. （喫煙者、特に広告の影響を受けやすい10代の喫煙者の数が減る。）	1. It goes against the spirit of freedom of speech and expression. （言論、表現の自由に反する。）
2. The government should protect people from deceptive cigarette ads. （政府は人をだますようなタバコの広告から人々を守るべきである。）	2. It goes against the spirit of free competition. （自由競争の精神に反する。）

● The impact of advertising on consumers
（消費者に対する広告の影響）

1. It stimulates consumers' desire to buy things.
   （消費者の物欲を刺激する。）
2. It can drive consumers to buy things on impulse.
   （消費者を衝動買いに走らせる。）
3. It can mislead consumers into buying deceptively good products.
   （消費者を惑わせて商品を買わせる。）

The pluses ［minuses］ of watching TV
（テレビを見るメリット［デメリット］）

Pluses	Minuses
1. It gives audiovisual information to viewers. （視聴者に視聴覚の情報を与える。）	1. It is harmful for your physical health.（It causes lack of exercise and eye strain.） （健康を損なう。［運動不足や眼精疲労を起こす。］）
2. It gives viewers conversation pieces. （話題を提供する。）	2. It is harmful for your mental health.（It exposes viewers to scenes of too much violence and sex, which can paralyze their sense of morality.） （精神衛生面に悪い。［暴力やセックスシーンが多すぎて、視聴者のモラルを麻痺させる。］）

Individual privacy vs. the public's right to know
（プライバシー対知る権利）

1. Both individual privacy and the public's right to know should be protected.（Which is more important depends on the situation. In the case of coverage of crime victims, the former outweighs the latter, but in the case of coverage of political corruption, the latter outweighs the former.）
（個人のプライバシーと国民の知る権利は両方とも保護されるべきである。［どちらがより重要かは状況による。犯罪の被害者なら個人のプライバシー、政治汚職の場合は、国民の知る権利を重要視する。］）

How will the Internet change the mass media ?
（インターネットはメディアをどう変えるか？）

1. It will provide up-to-date information around the clock.

（24 時間最新情報を提供する。）
2. It will make the media more interactive with viewers.
   （メディアはさらに視聴者と直接コミュニケートする。）
3. It will give more detailed, customized information.
   （より詳しい、個人が求めている情報を与える。）

7 結婚・家庭生活・人生哲学・他
（Marriage, Family Life, Philosophy of Life, etc.）

● Characteristics of a good leader
（良き指導者の特徴）

1. A good leader must have a sense of history and concern for posterity.
   （良きリーダーは歴史に学び、後世を思いやらなくてはならない。）
2. Proactive（making changes to improve something before problems happen rather than reacting to problems and then changing things）
   （先見の明がある。［問題が起こる前に変化を起こして物事をよくする。問題が起こってから行動し何かを変えるのではない。］）
3. Resourceful（good at finding ways of dealing with practical problems）.
   （機知に富んでいる。［問題対処法を見つけるのが得意。］）
4. Aspiring（to desire and work toward achieving something important）.
   （野心がある。［重要な物事を達成しようと願い、頑張る。］）
5. Organizational power / leadership.
   （組織力、リーダーシップ）

● Why do so few men take time off for childcare ?
（なぜ育児休暇を取る男性が非常に少ないか？）

1. Companies haven't yet established a childcare leave system for working men.
   （会社では、いまだに男性労働者にとっての育児休暇体制が整っていない。）
2. Most men still have the traditional notion of working man and his wife.
   （男性の多くがいまだに、男が外で仕事をし女は主婦という伝統的な考え方をしている。）
3. Japanese workers are under pressure from their peers or supervisors not to take time off for childcare.
   （育児休暇を取るなという、同僚や上司からのプレッシャーがある。）

◦ The roles that pets play in our lives
（ペットの役割）

1. They can be good companions for people.
   （友達になれる。）
2. Taking care of pets leads to the development of children's character.
   （ペットの世話をすることは、子供の人格形成に役立つ。）

e.g. Pets can teach the importance of life to people, especially children.
   （人、特に子供に命の重要性を教えることができる。）

3. Pets can have therapeutic effects on people.
   （癒しの効果がある。）

e.g. Pets create a congenial atmosphere.
   （その場を和ませてくれる。）

◦ The roles of men and women in the home
（家庭での男女の役割）

1. The traditional notion: men are breadwinners and women are supposed to take care of household chores.
   （伝統的な考え方：男性が稼ぎ手、女性が家事をこなす。）
2. The recent notion: working couples share housework and child-rearing.
   （新しい考え方：仕事を持つカップルが家事も子育ても分担する。）

◦ The ideal parent-child relationship
（理想の親子関係）

1. Mutual understanding and respect through heart-to-heart conversations.
   （心の通う会話をし、お互いを理解し尊敬しあう。）
2. Parents should serve as role models. (Parents set a good example for their children to follow.)
   （親は子供の手本となるべき。）

◦ Why are Japanese people getting married later?
（なぜ日本人は晩婚になったのか？）

1. An increasing number of people receive higher education.
   （高学歴化が進んだ。）
2. A growing number of women have participated in paid work.
   （女性の社会進出が進んだ。）
3. Single status is no longer stigmatized.
   （独身でいても、少しも恥ずかしいことではなくなった。）
4. People want to enjoy a single life longer than before.
   （昔と比べ独身生活をもっと楽しみたいと思っている。）

●My views on the proverb "Honesty is the best policy."
（諺「正直は最善の策」に対する意見）

Pros	Cons
1. Dishonesty will seriously undermine trusting relationships, causing a social dysfunction. （嘘をつくと人間関係が蝕まれ、社会が正常に機能しなくなる。）	1. Truth telling can be cruel (e.g. to terminally ill patients). （事実を告げることは残酷でもある。[例えば末期患者に真実を告げる場合。]）
2. Lying is counterproductive for liars because lies usually give themselves away. （嘘はたいていばれるので、嘘をつくと自分にとって不利益をもたらす。）	2. White lies can be a lubricant for human relationships. (White lies can smooth out interpersonal problems.) （悪意のない嘘は人間関係の潤滑油である。）

8 政治問題・国際関係 (Political Issues & International Relations)

● Why are nuclear weapons not completely banned?
（なぜ核兵器は完全に禁止されないのか？）

1. Because countries with nuclear weapons believe in nuclear deterrence.
   （核保有国が核抑止力を信じているので。）
2. Because they have been proliferated throughout the world.
   （核兵器は世界中に広まっているので。）

● Should Japan play a larger role in the United Nations?
（日本は国連でもっと重要な役割を果たすべきか？）

Pros	Cons
1. Japan should have the power and the right commensurate with the amount of donation. （日本は支出金に見合う権力と権利を持つべきである。）	1. Under the prolonged recession, Japan cannot afford to make any more contribution. （長引く不景気下、日本はこれ以上経済的に貢献することはできない。）
2. Japan is a qualified country to lead the UN. (Because of its stability, safety, and wealth.) （日本は国連をリードする資格がある。[安定性、安全性、豊かさを持った国である。]）	2. Japan cannot make a military contribution under the constitution, which necessitates maintaining the status quo. （日本憲法下、軍事貢献はできないので、現在の立場で十分である。）

● Can Japan be called a democratic society?
（日本は民主的社会と言えるか？）

Pros	Cons
1. The Japanese government guarantees the nation freedom of expression. (日本政府は国民に表現の自由を保障している。)	1. The Japanese government doesn't allow foreign residents to vote. (日本政府は外国人居住者に参政権を認めていない。)
2. Japanese people have the right to vote. (日本国民は選挙権を持っている。)	2. There are many forms of discrimination in Japan, including sexism, ageism, and racism. (日本には性差別、年齢差別、人種差別などさまざまな差別がある。)

● Japan's roles in fighting world hunger
（世界の飢饉に対する日本の役割）

1. To send relief goods.
   （救援物資を送ること）
2. To send experts to increase food production.
   （食料生産を増やすために専門家を派遣すること）

● Japan's role as a member of the Asian community.
（アジア社会の一員としての日本の役割）

1. To promote the region's peace and stability
   （地域の平和と安定を促進すること）
2. To eliminate poverty in the region.
   （地域の貧困をなくすこと）

● The public's lack of interest in politics
（政治に対する国民の無関心）

Causes
1. Japanese politics is rife with corruption.
   （政治汚職が蔓延している。）
2. The top leader is elected only by diet memebers.
   （首相が国会議員のみで選出される。）
3. The prolonged recession has undermined public confidence in Japanese politics.
   （長引く不況で、国民は日本政治に対する信頼をなくした。）

9 高齢化社会関連（Aging Society）

The problems of the aging society（高齢化社会の問題）
1. The society will be anemic.（社会が弱体化する。）
2. It is difficult to maintain the national health insurance system and pension system.（健康保険・年金制度を維持しがたい。）

How will the aging society affect the workplace ?
（高齢化は職場にどう影響するか？）
1. It will decrease productivity in business.（仕事の生産性を下げる。）
2. It will lead to an increase in foreign and female workforce.
（外国人や女性労働者の増加につながる。）

The importance of welfare facilities for the aged
（高齢者に対する福祉施設の重要性）
1. They will provide a chance for elderly people to improve their mental health.（Elderly people will find something to live for, meeting a lot of people）
（高齢者の精神衛生状態をよくする機会となる。［多くの人々に出会いながら、高齢者は生きがいを見つける。］）
2. They will improve elderly people's physical health.
（高齢者の健康状態を良くする。）

The problems facing senior citizens today（高齢者が直面する問題）
1. Age discrimination (The traditional notion that elderly people are not productive, active, or helpful in many respects.)（年齢差別［高齢者は多くの点で生産性が低く、活動的でないし、役に立たないという古い考え方。］）
2. There are not enough facilities for the aged such as day care centers or hospices.（デイケアセンターやホスピスなど高齢者用の施設が十分にない。）

10 文化・スポーツ (Culture & Sports)

● The advantages and disadvantages of hosting the Olympics
（オリンピック開催地となるメリット・デメリット）

Advantages	Disadvantages
1. It is a great opportunity to let the rest of the world know about host countries. （ホスト国を世界中に知ってもらう絶好の機会。） 2. It can boost the economy of host countries. （ホスト国の経済を活性化する。）	1. Constructing sites for the games will damage the natural environment. （競技場の建設現場は自然環境を破壊する。）

● The export of Japanese pop culture to foreign countries
（日本大衆文化の海外輸出）

Good points
1. It will promote the pop culture industry of Japan.
   （大衆文化産業を促進する。）
2. It is a great opportunity to let the rest of the world know about Japanese pop culture.
   （日本の大衆文化を世界中に知ってもらう絶好の機会。）

11 その他（Others）

● Japan's reputation as a safe country
（安全な国という日本の評判）

Japan is still safe compared with other advanced countries.
（日本は今も他の先進国と比べると安全。）

Why
1. The availability of guns is very limited because gun ownership is prohibited by law.
（銃の所有は法律で禁止されているので、銃はまず入手できない。）
2. The use of illegal drugs is rare compared with other industrialized countries.
（他の先進国と比較すると麻薬がほとんど使用されていない。）
3. The crime rate is so low that people can walk outdoors even during the night.
（犯罪率が極めて低く、夜間でも戸外を歩ける。）

　さて皆さんいかがでしたか。中身のある英語を論理的に話せるようになるためのコツはわかっていただけたでしょうか。この本をマスターすれば、皆さんの英語でのプレゼンテーション力、ビジネス交渉力、アカデミックディスカッション力などが生まれ変わるものと信じています。これで長かったアーギュメントのトレーニングはすべて終了です。それでは明日に向かって

Let' enjoy the process!（陽は必ず昇る！）

第7章

ディスカッションの社会問題トピックを分析!

1 社会問題トピックを11のカテゴリーに分類

日本でよくディスカッションされる社会問題は、大きく分けて次の11のカテゴリーになります。

> 1. Education（教育・学校関連）
> 2. Science and Technology（テクノロジー関連）
> 3. Medicine（健康・医学関連）
> 4. Economy and Business（ビジネス・経済関連）
> 5. Environment（環境問題関連）
> 6. Marriage, Family, Philosophy of Life, etc.（家庭・人生関連）
> 7. Politics & International Relations（政治問題・国際関係）
> 8. Mass Media（メディア関連）
> 9. Law and Crime（法律・犯罪関連）
> 10. Aging Society（高齢化社会関連）
> 11. Culture & Sports（文化・スポーツ関連）

そしてそれぞれのカテゴリーは、さらに次のように数個のカテゴリーに細分化されます。ですから社会問題について英語でディスカッションをするには、背景知識、語彙表現、論理的分析＆アーギュメントの、すべての点から見ても対処できるレパートリーを増やせばいいわけです。特に太字のトピックは重要ですので、すらすら英語で意見を言えたり、Q&Aセッションですぐに鋭い質問にも答えられるように、準備しておきましょう。
［太字のものは特に重要なものです］

1. Education（教育・学校関連）

この分野で特に重要なのが、青少年の非行の問題です。その原因と社会的影響および対策については、すぐに英語で言えるようにしておきましょう。その他、英語教育、ゆとり教育、大学教育、飛び級制、道徳教育、生徒による教師

の評価などを含めた教育改革の問題や、E－ラーニング、ホームスクーリング、生涯教育などの意義も英語でディスカッションできるようにしておきましょう。

1. Juvenile Delinquency（青少年の非行問題）

The causes and effects of juvenile delinquency
（青少年犯罪の原因と影響）
The growing number of children not wanting to go to school
（増加する子供達の登校拒否）
The increasing amount of disruptive behavior in school classrooms
（増加する授業妨害行動）
How should we deal with the "breakdown of the classroom"?
（クラス崩壊対処法は？）
How to deal with violence against teachers
（教師への暴力対処法は？）

2. Educational Reform（教育改革）

Changes needed in Japan's educational system
（日本の教育制度の変革すべき点）
Should English education in Japan be reformed?
（日本の英語教育を改革するべきか？）
Should the university system be reformed?
（大学制度を改革すべきか？）
How will education change in the future?
（将来の教育はどう変わるか？）
Do school curricula have a well-balanced content?
（学校のカリキュラムはバランスが取れているか？）
Is modern education moving in the right direction?
（現代の教育は正しい方向に進んでいるか？）

3. Educational Philosophy（教育哲学）

What tomorrow's children need to study

（明日を担う子供たちが勉強すべきこと）
The value of life-long learning / Lifelong education
（生涯教育の価値）
Should school teachers share the responsibility of parenting?
（教師は親の責任を共有すべきか？）
Should teachers be evaluated by their students?
（先生は生徒に評価されるべきか？）
Would a five-day school week be beneficial for students?
（週五日制は生徒のためになるか？）
Should exceptionally good students be allowed to skip grades?
（特に優秀な生徒は飛び級をしても良いか？）
Should high-school education become compulsory?
（高校教育を義務教育にすべきか？）
Should colleges grant credits for volunteer activities?
（大学はボランティア活動に単位を与えるべきか？）
Does university education prepare young people for real life?
（大学は実生活に備えた教育をしているか？）
Differences between school education and practical life experience
（学校教育と実生活の違い）
The value of competitive sports for small children
（子供達にとって競技する意義）
Praise or punishment - which is more effective in educating children?
（褒めるか叱るか―どちらが子供に効果的か？）
Should the school dress code be abolished?
（制服は廃止すべきか？）
The pros and cons of smaller classes
（クラス少人数制に賛成・反対？）
Should schools encourage individuality in students?
（学校は生徒の個性を伸ばすべきか？）
Should high school students be allowed to have part-time jobs?
（高校生はアルバイトをしても良いか？）

Public school education vs. private school education
（公立教育 対 私立教育）
How will the decreasing number of students affect education in Japan?
（生徒の減少はどのように日本の教育に影響を与えるか？）

4. Moral Education & Character Development （道徳教育と人格形成）

Teaching children the difference between right and wrong
（子供に善悪を教えること）
Should moral values be taught in school?
（道徳を学校で教えるべきか？）
The importance of character development
（人格形成の重要性）
Where can today's children find good role models?
（現在の子供達の良き手本は？）
Are professional athletes good role models for children?
（プロのスポーツ選手は子供達の良き手本か？）

5. Foreign Language Education & Study （外国語教育と学習）

Are you for or against English education in elementary schools?
（小学校の英語教育に賛成か反対か）
Should English be excluded from university entrance exams in Japan?
（英語を大学入試から外すべきか？）
Should everyone study a foreign language?
（誰もが外国語を勉強すべきか？）
The importance of speaking foreign languages
（外国語を話すことの重要性）
The teaching of English by Japanese teachers
（日本人教師による英語教育）
What makes a successful language learner?
（言語習得成功の秘訣は？）

The merits of international educational exchange
(国際教育交流のメリット)
The merits of studying abroad
(海外留学のメリット)

6. E-Learning（E-ラーンニング）
The pros and cons of distance learning
(通信教育に対する賛否両論)
Should computers be introduced more aggressively into school education?
(コンピューターをもっと学校教育に導入するべきか？)
At what age should computer education begin?
(コンピューター教育を始めるべき年齢は？)

7. Home Schooling（ホームスクーリング）
Should home schooling be made more available in Japan?
(ホームスクールは日本でさらに普及すべきか？)
What are the major problems with home schooling?
(ホームスクーリングの主な問題とは？)
Why is the number of homeschoolers increasing?
(なぜホームスクールをする人が増えているのか？)

2. Science and Technology（テクノロジー関連）

この分野では、遺伝子工学技術進歩の是非、宇宙開発の意義、ITの一長一短、ロボット工学の未来などが重要なトピックですが、その他技術が進歩することで社会に与える影響についても英語でディスカッションできるように意見をまとめておきましょう。

1. Genetic Engineering（遺伝子工学）
The pros and cons of human cloning

（ヒトクローンに対する賛否両論）
The pros and cons of genetic engineering
（遺伝子工学に対する賛否両論）
Are genetically modified foods safe?
（遺伝子組み換え食品は安全か？）
The ethics of science in the age of genetic engineering
（遺伝子工学時代における科学の倫理）

2. Space Exploration （宇宙開発）

The value of space exploration
（宇宙開発の価値）
Space exploration: Is it worth the price?
（宇宙開発：コストに見合うか？）
The future of space travel （宇宙旅行の将来）

3. IT （情報産業）

How can the Internet change people's lives?
（インターネットは人々の生活をどう変えるか？）
Will the Internet harm interpersonal communication?
（インターネットは人のコミュニケーションを阻害するか？）
Should there be restrictions on Internet content?
（インターネットの内容を規制すべきか？）
The pros and cons of online shopping
（オンラインショッピングに対する賛否両論）
Should access to the Internet be restricted by law?
（インターネットへのアクセスは法で規制すべきか？）
The pros and cons of using e-mail
（e-mail に対する賛否両論）
The merits and demerits of cellular phones
（携帯電話の長所・短所）
The merits and demerits of computer games

（コンピューターゲームのメリット・デメリット）

4. Social Implications of Technological Innovation
（技術革新がもたらす社会への影響）

How will technology benefit the aging society?
（テクノロジーは高齢化社会にどのような利益をもたらすか？）
The information revolution and its effects on society
（情報革命と社会への影響）
Is the use of new technology invading our society?
（新しいテクノロジーが社会を脅かしているか？）
Which modern inventions have changed our lifestyle most?
（現代発明でライフスタイルを最も変えたものは？）
High technology and Japan's future （ハイテクと日本の将来）
Will technology ever be able to predict natural disasters accurately?
（テクノロジーで自然災害を正確に予測できるか？）

5. Power Generation （発電）

The pros and cons of nuclear power generation
（原子力発電に対する賛否両論）
The future of power generation
（発電の将来）
Will renewable energy sources completely replace fossil fuels?
（再生可能なエネルギー源が化石燃料に取って替わるか？）
What can be done to ensure a reliable power supply?
（安定した電力供給を確実にするため何をすべきか？）

6. Robotics （ロボット工学）

The future of robots in daily life
（日常生活におけるロボットの将来）
What robots can and cannot do
（ロボットができることとできないこと）
Pet robots vs. pet animals

（ロボットペット 対 動物のペット）

3. Medicine（健康・医学関連）

この分野では、臓器移植、安楽死、過剰薬物治療、代替医療などの社会問題と、食べ物やストレスなど健康に関するトピックが重要です。特に前者はcharged issues（論議を呼んでいる）問題なので、十分にリサーチをしてからディスカッションに望むようにしましょう。

1. Organ Transplant（臓器移植問題）
Should organ transplants be made more available in Japan?
（臓器移植は日本でもっと普及すべきか？）
What makes organ transplants so controversial?
（なぜ臓器移植は物議をかもし出すのか）
How to increase the number of organ donors
（ドナーを増やす方法）

2. Euthanasia（安楽死）
Should doctors be permitted to help terminally ill patients die?
（医師は末期患者を安楽死させてよいか？）
Should euthanasia be legalized in Japan?
（安楽死は日本で法制化されるべきか？）
Euthanasia: The ethical dilemma of mercy-killing
（安楽死の倫理的ジレンマ）

3. Medical Care（医療問題）
Should doctors tell the truth to cancer patients?
（医師はガン患者に真実を告げるべきか？）
Overmedication: Are people relying too much on medicine?
（過度な医療：薬に依存しすぎているか？）
Suggestions for improving hospital care

（病院での看護を改善するための提案）
Is medical care too expensive in Japan?
（日本の医療は高額すぎるか？）
The pros and cons of alternative medicine
（代替医療に対する賛否両論）

4. Smoking （喫煙問題）

The rights of smokers and non-smokers （喫煙者、非喫煙者の権利）
Banning smoking in public places （公共の場所での喫煙禁止）
The increase in the number of young Japanese smokers
（増加する日本の若者の喫煙）

5. Eating Habits （食習慣）

Japan's changing eating habits - good or bad?
（日本の変化する食習慣－良いか悪いか）
Young people's obsession with dieting
（若者のダイエットへの異常なまでの執着心）
The pros and cons of vegetarianism
（菜食主義に対する賛否両論）
The importance of maintaining a healthy diet
（健康的な食餌を取り続けることの重要性）
The value of health foods
（健康食の価値）

6. Mental Problems （心の問題）

How to deal with everyday stress （日常のストレス対処法）
Why are an increasing number of young people struggling with depression? （なぜ鬱に苦しむ若者が増加しているのか？）
The causes and effects of anxiety disorder （不安症の原因と影響）

4. Economy and Business（ビジネス・経済関連）

　この分野では、日本経済の行方や日本がどうやって不況を乗り越えるかの問題を始め、定年退職制、年功序列制、能力給制などの是非論や、労働倫理の移り変わり、日本における外国人労働者の問題が重要です。日本の不況に関しては打開策を、定年退職制、年功序列制、能力給制に関しては、比較して一長一短を英語ですぐに言えるようにまとめておきましょう。

1. Japanese Economy（日本経済）

Can Japanese overcome its current economic difficulties?
（日本人は現在の不況を乗り越えられるか？）
How will the aging society affect Japan's economy?
（高齢化がもたらす日本経済への影響は？）
To what extent should Japan restrict food imports?
（どの程度まで日本は食物輸入を制限すべきか？）
The increasing unemployment rate in Japan
（増加する日本の失業率）
The causes and effects of unprecedented price destruction
（未曽有の価格破壊の原因と影響）
What can be done to improve the Japanese economy?
（日本経済をどう立て直すか？）

2. Employment System（雇用制度）

Should job promotion be based on performance or on seniority?
（昇進は能力次第か年功序列か？）
Why do more young people prefer not to work full time?
（なぜ就職しない若者が増えているか？）
Telecommuting - the pros and cons of working from home
（テレコミューティング、在宅勤務に対する賛否両論）
Should the mandatory retirement system be abolished?
（定年制は廃止されるべきか？）

Problems facing temporary workers（パートタイマーが直面する問題）
Is Japan really a workaholic country?
（日本はワーカホリックの国か？）
Childcare leave for parents of newborn babies（育児休暇）
The pros and cons of work-sharing
（ワークシェアリングに対する賛否両論）
Should companies adopt a more casual dress code?
（会社での服装をもっとカジュアルにすべきか？）
Increasing death from overwork（増加する過労死）

3. Business & Work Ethics（ビジネスと労働観）

The social responsibilities of large corporations（大企業の社会的責任）
Has the Japanese work ethic changed?
（日本人の労働観は変わったか？）
Business ethics: Product quality vs. the profit motive
（ビジネス倫理: 品質重視か利潤追求か）
Discrimination in workplaces（職場での差別）
The causes and effects of corporate scandals（企業不祥事の原因と影響）

4. Foreign Labor & Market（外国人労働者とその市場）

Problems facing foreign workers in Japan
（外国人が日本で直面する問題）
Should foreign nationals be given more employment opportunities in Japan?（外国人により多くの雇用機会を与えるべきか？）
Regulation on illegal workers from abroad
（不法外国人労働者に対する規制）
Japanese companies moving abroad（海外進出する日本企業）
The increasing trend among young Japanese women toward working abroad（若い女性の間で人気の海外で仕事をする傾向）

5. Environment（環境問題関連）

　この分野では、グローバルウオーミング、リサイクリング、ごみ処理問題、絶滅の危機にある動植物の保護問題が重要で、その他、動物実験や夏時間調整の是非や、エコツーリズム、災害対策などのトピックも、英語でディスカッションできるように背景知識を Input し、意見をまとめておきましょう。

1. Environmental Protection（環境保全）

　The effects of changes in the world's weather
　（世界の天候変化に伴う影響）
　Effects of tourism on the natural environment
　（**自然環境に与えるツーリズムの影響**）
　Who is responsible for destroying the environment?
　（環境破壊の責任は誰にあるか？）
　Roles of forests in the world ecology
　（**世界の生態系に対する森林の役割**）
　Government's responsibility to protect the environment
　（政府の環境保護責任）
　Are environmental groups making a difference?
　（**環境保護団体は環境保全に貢献しているか？**）
　Cars - convenience vs. environmental concern
　（車－利便性対環境への懸念）
　The environmental issue that most concerns human civilization
　（**人類にとって最大の関心事である環境問題**）
　How to alleviate water shortage problems（水不足解消法）
　Would daylight saving time be beneficial for Japan?
　（**サマータイムは日本に有益か？**）

2. Waste Disposal（ごみ処理）

　How can we decrease waste [garbage]?（**ごみをいかに減らすか？**）
　Should recycling be required by law?（**リサイクルは法制化すべきか？**）

How to prevent illegal dumping of waste（不法投棄を防止する方法）
Mass consumption society vs. recycling-oriented society
（大量消費社会 対 循環型社会）

3. Preservation of Plants and Animals（動植物の保護）
Should endangered species be protected by law?
（絶滅の危機に瀕する種は法で守るべきか？）
Protecting animals in danger of extinction
（絶滅の恐れがある動物の保護）
The pros and cons of animal rights（動物の権利に対する賛否両論）
How can people help to save endangered species?
（いかに絶滅危惧種を救うか？）
The controversy surrounding the use of animals in experiments
（動物実験に関する論争）
The functions of zoos in modern society
（現代社会における動物園の役割）

4. Natural Disasters（自然災害）
Coping with natural disasters（自然災害対処法）
Preparing for an earthquake（地震に対する備え）
Are we becoming more vulnerable to natural disasters?
（自然災害に一段と弱くなっているか？）

6. Marriage, Family, Philosophy of Life, etc.（家庭・人生関連）

　この分野では、離婚率の上昇、晩婚化現象、出生率の低下、女性の社会進出と家庭での夫婦の役割、子育てのあり方など結婚・家庭に関するトピックと、宗教や音楽や正直であることの意義など価値観に関する人生哲学的トピックが重要で、前者に関してはそのメリットとディメリットをディスカッションできるように意見をまとめておきましょう。後者の哲学的トピックに関しては熟考しながらエッセイライティングし、自分の価値観を書いて整理しておきましょう。

1. **Marriage**（結婚）
   Why are Japanese getting married later?
   （なぜ日本人は晩婚になっているか？）
   The increasing divorce rate（増加する離婚率）
   International marriage（国際結婚）
   Should women change their family names when they get married?
   （女性は結婚時に姓を変えるべきか？）
   Are you for or against gay marriage?
   （同性愛者同士の結婚に賛成か反対か？）

2. **Family**（家庭生活・親子関係）
   The ideal parent-child relationship（理想的な親子関係）
   Are Japanese children spoiled?（日本の子供は甘やかされているか？）
   The role of family relationships in childhood development
   （子供の発育における家族の役割）
   What rights should children have?（子供が持つべき権利）
   The roles of men and women in the home
   （家庭における男性と女性の役割）
   Sharing housework（家事の分担）
   Working mothers and their influence on the family
   （働く母親と家族への影響）
   The pros and cons of the double-income family
   （共働きに対する賛否両論）
   Why do so few men take time off for childcare?
   （なぜ男性はあまり育児休暇を取らないか？）
   The pros and cons of surrogate mothers（代理母に対する賛否両論）
   Japan's declining birthrates - a national crisis?
   （日本で低下し続ける出生率―国の危機か？）
   My idea of the perfect family（理想的な家族像）
   My views on parenting（子育てのあり方）

3. Philosophy of Life（人生哲学）

What things contribute to a person's quality of life?
（豊かな人生へとつながるものは？）
My views on the proverb "Honesty is the best policy"
（諺「正直は最善の策」に対する意見）
The value of having a good personality（性格がいいことの価値）
The importance of religion in people's lives
（生活における宗教の重要性）
When individuality can turn into selfishness?（個性と身勝手さの違い）
Characteristics of a good leader（優れたリーダーの特徴）
When should a person be considered mature?
（人はいつ成人とみなされるべきか？）
The importance of music in people's lives
（生活における音楽の重要性）

7. Politics & International Relations（政治問題・国際関係）

この分野では、世界平和のための日本と国連の役割や憲法論議の他、日本の政治の行方とあり方、そして大量殺戮兵器やテロ対策の問題などが重要で、まず十分に背景知識を Input した後、それらのトピックに関する自分の意見をまとめておきましょう。

1. Japan's Roles in the World（世界における日本の役割）

Should [Should not] Japan play a strong international role?
（日本は積極的に国際的な役割を果たすべきか（果たすべきでないか）？）
The best way for Japan to contribute to world peace
（日本が世界平和に貢献する最善策）
Should Japan play a larger role in the United Nations?
（日本は国連でもっと重要な役割を果たすべきか？）
Japan's roles in UN peace-keeping operations
（国連の平和維持活動における日本の役割）
Japan's role as a member of the Asian community

（アジアの一員としての日本の役割）
Should Japan accept more refugees?
（日本はより多くの難民を受け入れるべきか？）
Should Japan curtail its ODA spending in difficult economic times?
（日本は不況時に ODA の支出を削減すべきか？）

2. Weapons of Mass Destruction（大量破壊兵器）

Obstacles to nuclear disarmament（核兵器削減を阻むもの）
Why nuclear weapons are not completely banned?
（なぜ核兵器は完全に禁止されないか？）
The spread of nuclear weapons（核兵器の拡散）
How to eliminate weapons of mass destruction
（大量破壊兵器を根絶する方法）
How to confront the problem of land mines（地雷問題対処法）

3. Japanese Politics（日本の政治）

The public's lack of interest in politics
（政治に対する国民の関心の欠如）
Should all political leaders be chosen directly by the public?
（国民が政治指導者を直接選ぶべきか？）
How have recent leadership changes affected Japanese politics?
（最近の指導者交代は日本政治にどう影響を与えたか？）
Can Japan be called a democratic society?
（日本は民主的社会と言えるか？）
Should Japan strictly protect the "peace" constitution?
（日本は「平和」憲法をひたすら守るべきか？）

4. Terrorism & Crisis Management（テロと危機管理）

Can terrorism ever be eliminated?（テロは根絶できるか？）
The threat of international terrorism（国際的テロの脅威）
Government's roles in managing crisis situations

（危機管理における政府の役割）

5. International Relations（国際関係）
The future of the United Nations（国連の将来）
Should developed nations do more to help developing nations?
（先進国は発展途上国に対してさらに援助すべきか？）
Is world peace a remote possibility?（世界平和はありえないか？）
Is the clash of world religions inevitable?（宗教の衝突は不可避か？）
Are war and violence an inseparable part of society?
（戦争と暴力は社会から切り離せないものか？）
Is there a need for US military presence in Asia?
（米軍がアジアに在駐する必要性はあるか？）
Ethnic problems in the world（世界の民族問題）
The growing gap between rich and poor nations
（裕福な国と貧しい国の広がる格差）
Do Japanese people need to become more internationally minded?
（日本人はもっと国際的な視野を持つべきか？）

8. Mass Media（メディア関連）

この分野では、メディアの倫理問題が最も重要で、特に有名人や政治家のプライバシー保護の是非、メディアバイオレンスやタバコの広告規制の問題は、すぐに英語で意見が言えるように準備しておかなくてなりません。

1. Media Ethics（メディア倫理）
Individual privacy vs. the public's right to know
（プライバシー 対 知る権利）
The government's need to protect information vs. the public's right to know（政府による情報保護の必要性 対 国民の知る権利）
The invasion of privacy by the mass media
（マスコミによるプライバシーの侵害）

Media coverage of famous people's private lives
（有名人の私生活報道）
Does the media sensationalize crime?
（メディアは犯罪をセンセーショナルに取り上げ過ぎているか？）
Should names or photos of juvenile criminals be made public?
（青少年犯罪者の名前と写真は公表すべきか？）
The morals and ethics of the mass media（マスコミのモラルと倫理）

2. Advertisement（広告）

Impacts of advertising on consumers（広告が消費者に与える影響）
Should cigarette advertisements be banned?
（タバコの広告は禁止されるべきか？）

3. Mass Media（マスコミ）

How will the Internet change the mass media?
（インターネットはマスコミをどう変えるか？）
Pluses [minuses] of watching TV（テレビの長所［短所］）
Effects of TV and movie violence on young viewers
（テレビや映画のバイオレンスが若い視聴者に与える影響）
What should good TV programs be like?
（いいテレビ番組とはどのようなものか？）
Should TV and movie violence be restricted by law?
（テレビや映画のバイオレンスは法で規制されるべきか？）
Newspapers as an information source（情報源としての新聞）
The role of the media in shaping public opinions
（世論形成におけるメディアの役割）
How do weekly magazines reflect society?
（週刊雑誌はいかに社会を反映しているか？）
Will newspapers become obsolete in the Internet-driven 21st century?（インターネット時代の21世紀、新聞は廃れるか？）
Will books eventually be replaced by electronic media?

（本はやがて電子メディアに取って替わられるか？）

9. Law and Crime（法律・犯罪関連）

この分野では、死刑制度や銃規制など社会論争となっている問題が最重要で、次に麻薬問題や最近ではサイバークライムの問題が重要になっています。そこで前者に関しては背景知識を十分に Input し、その是非についてアーギュメントができるように自分の意見をまとめておきましょう。

1. Law（法律）

Should capital punishment be abolished?
（死刑は廃止されるべきか？）
Can more severe punishment prevent crime?
（より厳しい罰で犯罪を防げるか？）
To what extent should public manners be governed by law?
（どの程度まで、公衆マナーを法律で取り締まるべきか？）
Should all countries ban private ownership of guns?
（国は個人の銃所有を禁止すべきか？）
Should the legal drinking age be more strictly enforced?
（法定飲酒年齢は厳格に守られるべきか？）
Should there be an age limitation on the punishment for juvenile crimes?（青少年犯罪を罰するさい、年齢制限すべきか？）

2. Crime（犯罪）

The problem of illegal drug use（違法薬物使用問題）
What type of crime most threatens our society?
（社会を最も脅かす犯罪は？）
How to tackle increasing cybercrimes
（増加するサイバー犯罪の対処法）
Does Japan live up to its reputation as a safe country?
（日本は安全な国というが、評判通りか？）

10. Aging Society（高齢化社会関連）

　最近特に話題になってきたこの分野では、高齢化社会がビジネス、医療制度、年金制度に与える影響と問題点をカバーしておく必要があります。

1. Problems with the Aging Society（高齢化社会問題）
　Problems with the aging society（高齢化に伴う問題）
　Problems facing senior citizens today
　（現在の高齢者が直面している問題）
　How will the aging population affect our society?
　（高齢化する人口は社会にどう影響を与えるか？）

2. Social Security & Tax System（社会保障と税制度）
　Health care for the aged（高齢者の医療保障）
　Tax system for the aging society（高齢化社会の税制度）
　Social security system for the aging society（高齢化社会の社会保障制度）

3. Implications for Business（ビジネスへの影響）
　Can age restrictions in the workforce be justified?
　（職場の年齢制限は正当化されるか？）
　How will the aging society affect workplaces?
　（高齢化社会は職場にどのような影響を与えるか？）

11. Culture & Sports（文化・スポーツ関連）

　この分野では、まず伝統文化と現代文化の意義をカバーし、次にオリンピック開催のメリット及び参加資格問題についてアーギュメントできるように意見をまとめておきましょう。

1. Culture（文化）
　Is today's pop music too commercialized?

（現在のポップスは商業化しすぎか？）
The roles of cultural traditions in modern society
（現代社会における文化的伝統の役割）
The recent popularity in Japan of learning Asian languages and culture
（アジアの言語と文化を学ぼうとする日本の近年の流行）
Export of Japanese pop culture to foreign countries
（日本大衆文化の海外輸出）
Comics and young Japanese（漫画と日本の若者）

2. Sports and Traveling

The advantages and disadvantages of hosting the Olympics
（オリンピック開催の長所・短所）
Commercialism in the Olympics（オリンピック商業化）
Which sport should be considered Japan's national sport?
（どのスポーツが日本の国技となるべきか？）
Should professional athletes be prohibited from taking part in the Olympics?（プロ選手はオリンピック参加禁止すべきか？）
How sports can contribute to international relations
（スポーツは国際関係にどのように貢献しているか？）
Cautions to Japanese tourists in foreign countries
（外国での日本人旅行者への注意点）
Advantages［disadvantages］of package tours
（パッケージツアーの長所［短所］）

　さて皆さんいかがでしたか。以上がディスカッションやディベートや英語の資格検定試験などでよく扱われる社会問題のトピックです。何度も述べている、それらの問題について参考文献を読んで十分にリサーチして分析し、掘り下げて考え（think thorugh and delve into the matter）、pros and cons（賛否両論・一長一短）を両方考慮し、大局的に捉え（put into perspective）、プレゼンやディスカッションやディベートなどにおいて、強いアーギュメントができる（make a strong case）ように頑張りましょう。それでは明日に向かって、

Let's enjoy the process! 　（陽は必ず昇る！）

7 ディスカッションの社会問題トピックを分析！

参考文献

(明治図書出版)「教育的ディベート授業入門」中沢美依
(成美堂)「オピニオンの相違から学ぶ英語」西本徹　編さん
(七宝出版)「日本語ディベートの技法」松本茂
(PHP研究所)「ディベートの技術」北岡俊明
(総合法令)「ディベートが上達する法」北岡俊明
(産能大学出版部)「ビジネスディベートの方法と技術」北岡俊明
(明治図書出版)「ディベートで話しことばを鍛える」石川哲史
(学事出版)「ディベートに強くなる本」上條晴夫
(日本能率協会マネジメントセンター)「論理力トレーニング」茂木秀昭
(三笠書房)「議論に絶対負けない法」ゲーリー・スペンス
(研究社出版)「文化と発想とレトリック」中右実
(ベレ出版)「世界を読み解くキーワード」植田一三
(日経BP社)「英語で鍛えるロジカルシンキング」本間正人
(大修館書店)「英語の論理・日本語の論理」安藤貞雄
(ベレ出版)「論理的な英語力を鍛える」黒川裕一
(ブックスワールド)「英語で語る現代のトピック」松村優子、石井隆之、Douglas L. Lowe
(大修館書店)「日英語比較講座(文法)第2巻」國廣哲彌
(大修館書店)「日英語比較講座(意味と語彙)第3巻」國廣哲彌
(世界思想社)「レトリック入門」野内良三
(プレジデント社)「経営参謀が明かす論理思考と発想の技術」後正武
(郁文社)「リンガフランクリー」鈴木健、デボラフォアマン・タカノ
(ナツメ社)「英語論文に使う表現文例集」迫村純男、James Raeside
(ナツメ社)「英語の議論・討論に役立つ表現集」関郁夫、加藤久雄
神社と神道　http://www.jinja.or.jp/jikyoku/bessei/bessei4.html
Net Debate Forum 夫婦別姓
　　http://www2s.biglobe.ne.jp/~nippon/bessei/fus795a2.htm
夫婦別姓 Q&A　http://www.geocities.co.jp/SweetHome-Ivory/9219/qanda.htm
西表島エコツーリズム
http://www.pref.shizuoka.jp/kikaku/ki-16/suishin/data/1maita.pdf
自然レポート・エコツーリズム
http://www.interq.or.jp/jupiter/forest/report/14/report14.htm
とれんど・エコツーリズム　http://www.oricom.co.jp/trend/tre0207_2.html
Pro Choice Forum　http://www.prochoiceforum.org.uk/comm77.asp
Life News　http://www.prolifeinfo.org
Banning Tobacco Advertising

http://www.geoclan.com/community/articles/bantobacco.htm
Brief Writing and Argumentation (Mario Pittoni) Foundation Press.
Polarity and Analogy: Two Types of Argumentation in Early Greek Thought (G. E. R. Lloyd) Hackett Pub. Co.
Argumentation and Debate: Critical Thinking for Reasoned Decision Making (Austin J. Freeley) Thomson Learning.
Informal Logic: A Handbook for Critical Argumentation (Douglas N. Walton) Cambridge Univ. Press.
Argumentation: Analysis, Evaluation, Presentation (F. H. Van Eemeren) Lawrence Erlbaum Assoc, Inc.
Argumentation, Communication, and Fallacies: A Pragma-Dialectical Perspective (F. H. Van Eemeren) Lawrence Erlbaum Assoc, Inc.
Perspective in Controverssy: Selected Essays from Contemporary Argumentation and Debate (Kenneth Brodabahn) Central European Univ. Press.
Argumentation and Debate: A Classified Bibliography (Arthur N. Kruger) Rowman & Littlefield Publishers, Inc.
Argumentation and Debate: Principles and Applications (James Edward Sayer) Alfred Pub. Co.
Rehtoric of Argumentation (William Brandt) Ardent Media, Inc.
Advocacy: The Essentials of Argumentation and Debate (Dean Fadely) Kendall Hunt Pub. Co.
Argumentation and the Social Grounds of Knowledge (Charles Arthur Willard) Univ. of Alabama Press.
Argumentation and Critical Decision Making (Longman Series in Rhetoric and Society) (Richard D. Rieke) Addison - Wesley
Contemporary Argumentation and Debate: The Journal of the Cross Examination Debate Association (T. C. Winebrenner) Kendall Hunt Pub. Co.
Values an Policies in Controversy: An Introduction to Argumentation and Debate (Wilbanks, Church) Kendall Hunt Pub. Co.
Persuasive Advocacy: Cases for Argumentation and Debate, Halford Ross Ryan, Rowman & Littlefield Publishing Group.
Contemporary Argumentation (Cross Examination Debate Assoc) Middle Tennessee
Polysemy: Theoretical and Computational Approaches (Yael Ravin) Oxford Univ. Press.
Lexical Semantics: The problem of Polysemy, J. Pustejovsky, Oxford Univ. Press.
Doing Business With Japan: Successful Strategies for Intercultural

Communication, Kazuo Nishiyama, Univ. of Hawaii Press.
The Human Cloning Debate; Berkley (Glenn McGee) Hills Books.
CyberEthics: Morality and Law in Cyberspace (Richard Spinello Jones & Bartlett Publishers)
NASA and the Space Industry (Joan Lisa Bromberg) Johns Hopkins Univ. Press.
Space: The Next Business Frontier, Lou Dobbs, ibooks Level 3.
Historical Encyclopedia of Atomic Energy (Stephen E. Atkins) Greenwood Publishing Group.
The War Against Nuclear Power (Eric N Skousen) Natl Cenetr for Constitutional.
Coping With an Organ Transplant: A Practical Guide to Unnderstanding, Preparing For and Living With an Organ Transplant (Elizabeth Parr, Janet Mize) Avery Penguin Putnam.
Organ Transplant: The debate over Who, How and Why (Adam Winters) Rosen Publishing Group.
Endangered Species (Nancy Holder and Jeff Mariotte) Pocket Books.
Life after work: the arrival of the ageless society, Michael Dunlop, HarperCollins.
The Controversy over Mercy Killing, Assisted suicide, and the Right to Die (Jonathan D., Ph. D. Moreno) Simon & Schuster.
Worldwide Guide to Homeschooling: Facts and Stats on the Benefits of Home School 2002-2003 (Brian D. Ray) Broadman & Holman Publishers.
Wise Up: The Challenge of Lifelong Learning, Guy Claxton, Bloomsbury USA.
The Abortion Controversy, Eva R. Rubin, Praeger Pub. Trade.
The Rgument Culture-moving from debate to dialogue, Deborah Tannen, Random House.
The Economist Global Agenda, The global Third Way Debate, edited by Anthony Giddens, Blackwell Publishers.
Ethical Issues in Human Cloning: Cross-Disciplinary Perspectives, Michael C. Brannigan, Seven Bridges Press.
Language Shock: Undersanding the Culture of Conversation, Michael Agar, William Morrow Geogel.
The Rhetorical Act. Karlyn K. Campbell, Wadsworth Publishing Company.
Analyzing Public Discourse, Martha Cooper, Waveland Press, Inc.
Narrative Policy Analysis, Emery Roe, Duke University Press.
Intellectual Communication, Larry A. Samovar and Richard E porter, Wadworth Inc.
Mastering Public Speaking , Grice & John F. Skinner, Allyn & Bacon.

The Speaker's Handbook, Jo Sprague and Douglas Stuart, Hartcourt Brace Javanovich, Inc.
Academic Writing for Graduate Students, John M Swales and Christine B. Freak, the Univ. of Michigan Press.
Writing the Speech, William E. Wiethoff, Alistair Press.
GRE CAT: Answers to the Real Essay Questions, Mark Alan Stewart, ARCO.
Writing Skills for the GRE/GMAT Tests, Thomson & Peterson's.
Conroversies in American Politics & Society, David McKay, David Houghton & Andrew Wroe, Blackwell Publishers.
Pros & Cons: a debater's handbook, Trevor Sather, Routledge.
A Practical Study of Argument With Infotrac, Trudy Govier, Wadsworth Publishing.
Rethinking Objectively, Allan Megill, Duke Publishing.

著者略歴

植田 一三
植田一三（うえだいちぞう）

英語のプロ・達人養成教育学校、Aquaries School of Communication 学長。英語の百科事典を10回以上読破し、辞書数十冊を暗記し、洋画100本以上のせりふをディクテーションするという「超人的」努力を果たす。ノースウェスタン大学院、テキサス大学院コミュニケーション学部に留学し、学部生に異文化間コミュニケーションを1年間指導。比較コミュニケーション学博士。洋画英語翻訳研究学会会長、時事英語世界情勢研究学会会長、津田塾大学、ベルリッツや大学入試予備校などの英語教育顧問などを務める。Let's enjoy the process!（陽は必ず昇る!）をモットーに、過去23年間に、英検1級合格者を1000人以上（優秀賞受賞者を15名以上）、資格3冠突破者を75名以上、TOEIC満点990点突破者を10名以上、ハーバード大学、UCバークレーを始めとする英米トップの大学院合格者を50名以上育てる。過去23年間に独自の英語学習教材を100以上開発し、全国出版した25冊のうち23冊はベストセラー、5冊は中国、韓国、台湾、シンガポールなどアジア5カ国以上で翻訳されている。主な著書は「CD BOOK 発信型英語10000語レベルスーパーボキャブラリービルディング」、「発信型スーパーレベルライティング」、「発信型スーパーレベル英文法」などがある。

妻鳥 千鶴子
英検1級対策をメインとするアルカディアコミュニケーションズ主宰（http://www.h6.dion.ne.jp/~arkadia/）。近畿大学非常勤講師。バーミンガム大学大学院修士課程（翻訳学）終了。主な資格は、英検1級、ケンブリッジ英検プロフィシェンシー（CPE）、TOEIC満点、翻訳ガイド（大阪府第1236号）など。
主な著書は『英語プレゼンテーション すぐに使える技術と表現』（ベレ出版）、『英語資格三冠王へ！』（明日香出版社）、『ゼロからスタート英会話』（Jリサーチ出版）、『新 TOEIC TEST プレ受験600問』（語研）など。

英語で意見を論理的に述べる技術とトレーニング

2004年2月25日	初版発行
2012年7月30日	第22版発行
著者	植田一三・妻鳥千鶴子
カバーデザイン	赤谷　直宣

© Ichizo Ueda Chizuko Tsumatori 2004, Printed in Japan

発行者	内田　眞吾
発行・発売	ベレ出版 〒162-0832 東京都新宿区岩戸町12 レベッカビル TEL (03)5225-4790 FAX (03)5225-4795 ホームページ http://www.beret.co.jp/ 振替 00180-7-104058
印刷	株式会社文昇堂
製本	根本製本株式会社

落丁本・乱丁本は小社編集部あてにお送りください。送料小社負担にてお取り替えします。

ISBN978-4-86064-048-4 C2082　　　　編集担当　脇山和美

英語のプロを目指すなら全国唯一の資格3冠
（英検1級・通訳ガイド・TOEIC960点）突破校IES！
英検1級合格300名突破！

創立20周年記念特別キャンペーン実施中！
合格保証＆合格後の仕事保証制度で完全サポート！

英検1級・準1級指導研究20年の実績！最強のカリキュラム教材＆講師陣！英検1級・準1級合格対策ライブ版通信・通学（大阪・東京）講座	全国唯一の「アーギュメント・トレーニング方式」によって40点以上の高得点合格者続出！英検1級二次試験合格対策ライブ版添削通信・通学（大阪・東京）講座	全国唯一の「ガイド試験一次・二次・三次同時対策専門校」超効果的メソッドで最短距離合格！通訳ガイド試験合格対策ライブ版通信・通学（大阪・東京）講座

これで完璧！最強のボキャビルシリーズ（1級基礎、必須、完成）

STEP Pre 1 & STEP 1 Vocabulary 1000 [Intermediate Level] 英検準1級・1級基礎語彙	STEP 1 Vocabulary 1000 [Intermediate-Advanced Level] 英検1級必須語彙	STEP 1 Vocabulary 1000 [Advanced Level] 英検1級完成語彙
5000〜8000語レベル語彙	8000〜12000レベル語彙	12000〜17000レベル語彙

姉妹版 「英語の達人」シリーズ第2弾　　　**好評発売中**
発信型英語スーパー口語表現CD
本¥1,700（税別）　CD4枚組¥3,900（税別）

この2つで完璧！「英語の達人」シリーズ第1弾！　　　**絶賛発売中**
英語10000語レベルスーパーボキャビルCD
本¥1,600（税別）　CD4枚組¥3,900（税別）

☆詳しくはホームページをご覧下さい。
http://www.ies-school.co.jp/　　e-mail:info@ies-school.co.jp

※　お問い合わせ、お申し込みはフリーダイヤル　**0120-858-994**（えいごはここх）
Ichy Ueda の　IES School of Communication
〒530-0014　大阪市北区鶴野町4　A-809　　TEL 06-6371-3608
〒151-0053　東京都渋谷区代々木1-13-8 SGビル5F　TEL0120-858-994
〒670-0053　姫路市南車崎1-1-24　TEL 0792-98-1708